Los Piratas del Caribe
y el Triángulo de las Bermudas

Cover and Chapter Art by
Irene Jiménez Casasnovas

by
Carol Gaab
Christine Tiday

ISBN: 978-1-935575-64-1

Fluency Matters, P.O. Box 11624, Chandler, AZ 85248
info@FluencyMatters.com ~ FluencyMatters.com

A NOTE TO THE READER

This fictitious novel is written with 280 high-frequency words in Spanish. New vocabulary is embedded within countless cognates (words that are similar in two languages), making it an ideal read for beginning language students.

Essential vocabulary is listed in the glossary at the back of the book. Keep in mind that many words are listed in the glossary more than once, as most appear throughout the book in various forms and tenses. (Ex.: I go, he goes, he went, etc.)

Vocabulary words that would be considered beyond a 'novice-low' level are footnoted within the text, and their meanings given at the bottom of the page where each occurs.

The opinions and events in this story do not reflect or represent the opinions or beliefs of Fluency Matters. This novel is intended for educational entertainment only. We hope you enjoy reading it!

Índice

Capítulo 1
El blog de Tito

www.BlogdeTito.com
19 de junio, 2012
El Gran Plan

Me llamo Tito García. Tengo quince años y vivo en Sarasota, Florida. Mi papá se llama Pablo. Él es navegante. En Sarasota, mi papá es famoso. Es famoso porque es un navegante talentoso. ¡Es experto en navegar y es campeón de regatas[1]! Mi papá tiene un barco especial. Es grande y ¡rápido! ¡Es un barco súper excelente!

[1]*regata(s) - regatta(s): a race or series of races between boats, such as sailboats*

El barco se llama el Orinoco. Se llama el Orinoco porque hay un río[2] en Venezuela que se llama el Orinoco. Mi papá es venezolano. Sus padres todavía viven en Venezuela. Viven cerca del río Orinoco y por eso, llamamos el barco 'el Orinoco.' Hay una canción[3] que también se llama 'El Orinoco'. La canción es popular. A mi mamá le gusta la canción, pero no le gusta navegar en el barco Orinoco.

Nuestro barco es grande. El barco tiene dos dormitorios pequeños y una cocina[4] pequeña. El barco tiene un baño también. ¡El baño es muy pequeño! Me gusta el Orinoco, ¡pero no me gusta el baño pequeño!

Mi papá y yo navegamos mucho. Nos gusta navegar. ¡Nos gusta mucho! Tengo una hermana y a mi hermana le gusta navegar también. Ella se llama Margarita. Ella tiene veintiséis años y vive en Annapolis, Maryland.

Margarita va a casarse[5] en tres semanas. Ella

[2]*río - river*
[3]*canción - song*
[4]*cocina - kitchen*
[5]*casarse - to get married*

va a casarse con Tony. Tony vive en Annapolis. Es profesor en la universidad. Ellos van a casarse en Annapolis.

Mañana, mi mamá va a salir para Annapolis. Ella va a visitar a mi hermana. Ellas van a organizar la boda[6] de mi hermana. A Margarita y a Tony les gusta mucho navegar. Por eso, van a casarse en un barco. ¡Van a casarse en el Orinoco! Casarse en el Orinoco es la idea de mi hermana. Mi papá llama su idea 'El Gran Plan' porque vamos a navegar el Orinoco desde Florida a Maryland. Papá y yo somos los capitanes de El Gran Plan.

Mañana, mi papá y yo vamos a salir para Annapolis también. Mi mamá va en avión[7], pero papá y yo vamos en barco. ¡Vamos en el Orinoco! ¡Es una ruta larga! ¡Vamos a estar en el Orinoco durante tres semanas! Mi papá y yo estamos muy contentos con 'El Gran Plan', pero mi mamá no. A ella no le gusta la idea porque vamos a navegar por una ruta larga y peligrosa[8]. Vamos a navegar por el Triángulo de las Bermudas, un área famosa y misteriosa

[6]*boda - wedding*
[7]*avión - airplane*
[8]*peligrosa - dangerous*

del Caribe.

Hay muchas leyendas e historias de barcos que han desaparecido[9] en la zona de las Bermudas. Más de mil personas han desaparecido en el Triángulo de las Bermudas y por eso, mi mamá lo llama 'el Triángulo de los Desaparecidos'.

Mi mamá está nerviosa, pero mi papá no. ¡Mi papá está emocionado! Él se ríe de las leyendas y se ríe de mi mamá. Mi papá dice que 'El Gran Plan' es un plan perfecto. Mi mamá dice que 'El Gran Plan' es un plan peligroso: «Navegar esta distancia larga por el Triángulo de las Bermudas ¡es una invitación para el desastre!». Yo estoy nervioso, pero sólo estoy nervioso en secreto. No voy a admitirlo. Yo le digo a mi mamá: «Papá es un navegante extraordinario y tengo confianza completa en él. ¡Vamos a tener una aventura increíble!»...

[9]han desaparecido - they have disappeared

Capítulo 2
¡A Maryland!

El día 20 de junio del 2012, Pablo y Tito García, los co-capitanes del Orinoco, salieron del Puerto[1] de Sarasota, Florida. Cuando salieron, Tito navegaba el barco mientras su papá miraba a su mamá que estaba llorando y preocupándose desde el puerto. Su papá la miró con confianza y le gritó:

– ¡Adiós! ¡No te preocupes!

Tito no tenía ni idea de que en la distancia, su

[1]puerto - port

mamá estaba llorando de preocupación. Él se concentraba en conducir el barco hacia el Golfo de México. Se imaginaba que participaba en una regata y navegaba lo más rápido posible en dirección a Key West.

> – Vayan con Dios[2] –les gritó su madre llorando.

Cuando ya no pudo ver el puerto, ni a su esposa, Pablo empezó a concentrarse en la navegación. Mientras Tito navegaba el barco, su padre miraba el GPS y varios mapas y escuchaba el pronóstico del tiempo[3] en la radio. Su padre estaba calculando la velocidad del barco, considerando el viento[4] y las corrientes[5]. Solo tenían tres semanas para llegar a Annapolis para la boda. El Orinoco no podía llegar tarde. Pasaron cuatro o cinco horas y el padre de Tito le preguntó:

> – Tito, ¿estás cansado?

> – No, papá. Estoy bien.

[2]*vayan con Dios - go with God*
[3]*pronóstico del tiempo - weather forecast*
[4]*viento - wind*
[5]*corrientes - currents*

En realidad, estaba un poco cansado, pero no quería admitirlo. Quería ser un navegante valiente y por eso, no lo admitió.

> – Ya pasaron cuatro horas –le dijo su padre–. ¿No quieres comer?
> – Pues... Sí... –le admitió.
> – Necesitas comer y descansar[6]. Tenemos un viaje largo en frente de nosotros. Voy a navegar y vas a comer.

Tito fue a la cocina para preparar un sándwich. Lo preparó, agarró su libro y fue a sentarse en la proa[7] del barco. A Tito le gustaba sentarse en la proa. Le gustaba mirar el mar imaginando que era pirata o explorador. Tito comía su sándwich y miraba el mar, pensando en las desapariciones del Triángulo de las Bermudas. Le interesaban mucho las historias y leyendas del Triángulo misterioso. Comió su sándwich, agarró su libro 'El misterio del Triángulo de las Bermudas' y empezó con el capítulo tres:

[6]*descansar - to rest*
[7]*proa - bow (of a boat)*

Capítulo 3: El misterio del Vuelo 19

Más de cien barcos han desaparecido[8] en el Triángulo de las Bermudas. Numerosos aviones[9] también han desaparecido en el Triángulo. ¡En total, el Triángulo ha desaparecido a más de mil personas! Una historia famosa se llama 'el Misterio del Vuelo 19'.

El día 5 de diciembre de 1945, cinco aviones militares salieron de Ft. Lauderdale, Florida. Los aviones fueron parte de una misión de práctica militar. La misión se llamaba "Vuelo 19." El líder del Vuelo 19 se comunicaba por la radio constantemente con el Con-

[8]*han desaparecido - they have disappeared*
[9]*aviones - airplanes*

trol del Tráfico Aéreo. A las 3 de la tarde, los aviones entraron en la zona del Triángulo de las Bermudas y empezaron la misión de práctica. A las 4 de la tarde, el Centro de Control de Tráfico Aéreo escuchó a dos pilotos:

> – ¿Dónde estoy? –le preguntó un piloto al líder.
> – No sé. El compás no funciona –le respondió nervioso.

Después de una hora, el líder del Vuelo 19 dijo histéricamente en su radio:

> – ¡Estamos completamente perdidos!
> – ¿Ve Florida? ¿Ve unas islas? ¿Qué ve?

Pero el líder no le respondió.

> – ¡Vuelo 19, Vuelo 19! ¿Me escuchan?
> –le gritó el Control de Tráfico Aéreo.

Otra vez, el líder no le respondió. El Control de Tráfico Aéreo perdió contacto con todos los aviones. «¡Vuelo 19, Vuelo 19! ¿Me escuchan?», gritaron los controladores. «¡Vuelo 19, vuelo 19! ¿Me escuchan?», repitieron gritando en la radio. Los oficiales militares continuaron llamando a los pilotos perdidos, pero los pilotos nunca respondieron. Los aviones desaparecieron en un instante.

Los militares empezaron a buscar los aviones inmediatamente. A las siete y treinta, un avión militar salió para buscar los aviones perdidos. El piloto se comunicaba con los controladores e iba en dirección del Triángulo de las Bermudas. El piloto se comunicaba con los controladores, pero después de diez minutos, hubo un sonido «¡pum!» y en un instante, el piloto no pudo comunicarse más con los controladores. Luego, hubo un silencio terrible. Los controladores perdieron contacto con el piloto:

> – ¡Piloto 9-1-9, ¿Me oye[10]? ¿Me puede oír? –repitió gritando en la radio.

Pero el piloto no respondió. Él también estaba perdido en el Triángulo de las Bermudas.

Durante los siguientes días, muchos aviones y barcos fueron a buscar los aviones, pero no los encontraron. No pudieron encontrar ni un gramo de evidencia de los aviones. ¡Ellos estaban completamente desaparecidos!

[10]*¿Me oye? - Do you hear me?*

~~~~~~~~~~~

Los aviones estaban completamente perdidos en el Triángulo y Tito estaba completamente perdido... ¡en el libro! Pensaba en el momento de terror cuando los pilotos se perdieron en medio del Triángulo. Pensaba en el comentario final del líder del Vuelo 19: *«¡Estamos completamente perdidos!»*. Tito pensaba en todas las historias del Triángulo y se imaginaba la desaparición del Orinoco en medio de la zona de las Bermudas. Se imaginaba a su padre hablando histérico por la radio: *«¡Estamos completamente perdidos! ¡Ayúdenme!*[11] *¡Es urgente!»*. Tito estaba completamente perdido en su imaginación y no notó que una gran tormenta[12] se estaba formando en la distancia.

[11]*ayúdenme - help me*
[12]*tormenta - storm*

Capítulo 3
La voz de la lógica

En un instante, el sol desapareció. El viento estaba muy fuerte y el mar saltaba con violencia. Había mucha agua en el barco y el barco casi[1] no flotaba. ¡Tito tenía mucho miedo! Le gritó a su padre, pero no pudo encontrarlo. Gritó de nuevo, pero su padre no le respondió. Histérico, Tito buscó a su padre, gritando con voz de pánico:

– ¡Papá! ¡ ¿Dónde estás?

[1]casi - almost

Por fin, su padre le respondió y Tito… se despertó.

> – Estoy aquí, Tito. ¿Qué tienes? –le preguntó su padre.
> – Ah…nada… –le respondió Tito.

Tito no quería admitir que estaba durmiendo ni que tenía miedo, así que le dijo a su padre:

> – Solo quería preguntarte si necesitas descansar. ¿Quieres que yo conduzca el barco de nuevo?
> – Buena idea, Tito. Quiero estudiar los mapas un poco más.

Su padre estudió los mapas y los comparó con la ruta indicada en el GPS. También escuchó el pronóstico del tiempo y descansó un poco. Tito condujo el barco, pensando en el misterio y peligro del Triángulo. Después de unos minutos, Tito empezó a hacerle muchas preguntas a su padre:

> – Papá, ¿crees todas las historias del Triángulo de las Bermudas?
> – Pues… sí, pero las historias son muy exageradas.
> – ¿Exageradas?

– Sí Tito, exageradas. Más de mil personas
han desaparecido en el Triángulo durante
más de cien años. Realmente, no es
mucho…sólo diez personas por año –le
dijo su padre calmadamente– y es una
zona muy grande.

Tito pensó en el comentario de su padre y ya no
tenía miedo. Su padre era inteligente, perceptivo y
lógico: *«Diez personas realmente no eran muchas»*. Tito ya no tenía miedo, sólo tenía curiosidad. Le preguntó a su padre:

– ¿Crees que la ciudad Atlantis está debajo
del mar en la zona de las Bermudas?

Su padre se rió y le respondió:

– No, Tito, no lo creo. Sólo es una leyenda.

14

Con un tono serio, Tito le preguntó:

- – Y la historia del Vuelo 19…¿Crees que es historia o una leyenda?
- – Ah… el Vuelo 19… es la historia de cinco aviones que desaparecieron en medio del Triángulo en los 1940's, ¿no?... Nunca encontraron los aviones –le dijo su padre con total naturalidad[2]–. Era misterioso que el avión que buscó los cinco aviones también desapareció.
- – Sí, papá, pero ¿crees que es historia o sólo es una leyenda?
- – Creo que es historia exagerada –le respondió su padre, otra vez con total naturalidad.
- – ¿Dónde está el Triángulo exactamente?
- – Está entre las islas Bermudas, San Juan, Puerto Rico y Miami. Es un

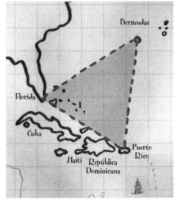

[2]*con total naturalidad - matter of factly*

área muy grande.

– Papá, ¿crees que las desapariciones fueron el resultado del tiempo violento o de OVNIS[3].

– Pues…no sé. Hay muchas especulaciones de la existencia de OVNIS en la zona de las Bermudas. Cuando eras chico fuimos a Puerto Rico… Fuimos a Lajas para ver el OVNIpuerto[4].

– Ah, sí… Es donde había pirámides[5], ¿no?

– Sí, Tito. La gente cree que a los extraterrestres[6] les gustan las formas geométricas. Por eso, construyeron las pirámides en formas geométricas para llamar la atención de los OVNIS.

Tito se rió y le respondió:

– ¡¿Para llamar la atención de ellos?! ¡¿La gente de Lajas quiere que un OVNI las

[3]*OVNI(S) (Objeto(s) Volador(es) No Identificado(s)): UFO (Unidentified Flying Object)*
[4]*ovnipuerto - un aeropuerto para OVNIS; An airport or landing area for UFOs*
[5]*pirámides - pyramids*
[6]*extraterrestres - extraterrestrials*

visite?!

– Sí, quieren una visita de un OVNI. Hay personas que quieren comunicarse con los extraterrestres.

– ¡Ay! ¿Y tú, papá, quieres comunicarte con un extraterrestre? –le preguntó riéndose.

Su padre se rió otra vez. A él le gustó la idea. Comunicarse con un extraterrestre sería[7] interesante.

– Sí, Tito. Comunicarme con un extraterrestre sería una experiencia fantástica.

A Tito no le gustó la idea. Él realmente les tenía miedo a los extraterrestres. No quería verlos ni tampoco quería comunicarse con ellos. Para Tito, no sería una experiencia fantástica. ¡Sería una experiencia horrífica!

– Papá, ¿cuándo vamos a entrar en el Triángulo? –le preguntó Tito nervioso.

– Mañana. Mañana vamos a entrar en el famoso Triángulo de las Bermudas –le res pondió su padre con la voz de una perso-

[7] *sería - (it) would be*

nalidad de televisión.

–¿Es necesario pasar por el Triángulo? ¿No hay otra ruta?

– No hay otra, el Triángulo está entre nosotros y Annapolis. Está entre nosotros y El Gran Plan –le dijo riéndose.

Hubo un momento de silencio. Tito estaba pensando. Pensaba en las historias del libro, pensaba en los OVNIS y pensaba en entrar al Triángulo. Su padre notó su nerviosismo[8] y le dijo con voz calmada:

– No tengas miedo Tito. Todo va a ser perfecto. ¡Pasar por el Triángulo va a ser una experiencia fantástica! Vas a ver…

Tito no le respondió. Quería ser valiente, pero estaba nervioso. Su padre lo notó y le dijo con la voz de la lógica:

– Tito, hay más accidentes automovilísticos en un año que todos los accidentes que han ocurrido en el Triángulo. No te preocupes. Ahora ¡a dormir! Necesitas descansar. Ya es tarde y tú tienes que condu-

[8]*nerviosismo - nervousness*

cir el barco en la mañana.

Tito fue a su dormitorio para dormir, pero no pudo. Escuchaba a su padre hablando con su madre por la radio. Hablaban sobre el tiempo, sobre la boda y… sobre el Triángulo. Hablaron durante una hora y luego, su padre escuchó el pronóstico del tiempo. Pronosticaban fuertes vientos en la zona de las Bermudas. Tito escuchó el pronóstico y tuvo miedo. Se calmó cuando pensó en el comentario de su padre: *«Hay más accidentes automovilísticos en un año que todos los accidentes que han ocurrido en el Triángulo»*…Y por fin, se durmió.

Capítulo 4
Una tormenta inusual

En la mañana, el viento estaba muy fuerte. Las olas[1] eran muy grandes y fuertes y el barco saltaba entre ellas. Tito se despertó cuando el barco saltó en una gran ola. Se levantó y salió de su dormitorio y miró el mar. Notó que las olas ¡eran enormes!

    – ¡Ay papá, las olas son muy grandes!

    – Sí, Tito, el Orinoco es como una atracción en Six Flags –le dijo su padre riéndose.

    – ¿Cuándo vamos a entrar en el Triángulo?

[1]olas - waves

– Ya entramos, Tito –le dijo riéndose más.

Tito miró el mar y miró a su padre con miedo. Exclamó:

> – ¡¿Ya estamos?!
> – Sí, Tito… con el viento fuerte vamos muy rápido. Con vientos tan rápidos, ¡vamos a llegar a Annapolis en solo una semana! –se rió su padre.
> – ¡Ayayay! ¡Las olas del Triángulo son enormes! –exclamó Tito.
> – En este momento, las olas son enormes en todas partes del mar Caribe –le respondió su padre riéndose nerviosamente–. El viento es muy fuerte.

Tito estaba nervioso de conducir el barco solo, pero su padre necesitaba descansar. Así que Tito le dijo valiente:

> – Papá, yo puedo conducir el barco solo. Las olas no son tan grandes. Tú necesitas descansar.
> – Está bien. Llámame si necesitas ayuda.

Entonces, su padre se fue a su dormitorio para dormir. Tito estaba un poco nervioso por navegar solo con vientos tan fuertes. La corriente del golfo[2] estaba muy fuerte y el barco continuaba rápidamente por el mar, saltando entre las olas. Tito miraba el mar, pensando en todos los aviones y barcos que desaparecieron en el Triángulo. Se imaginaba que era un capitán buscando evidencia de los desaparecidos. Tito miró el horizonte y notó una tormenta en la distancia. El viento era más fuerte y las olas más grandes.

De repente, el Orinoco saltó violentamente y por un momento, Tito perdió control del barco. En ese momento, escuchó la voz de su madre por la radio: «Mamá al Orinoco. Mamá al Orinoco. Haloooo…». Tito no pudo agarrar la radio porque el barco saltaba violentamente. Navegaba con dificultad y casi no podía controlar el barco. Tenía miedo y le gritó a su padre:

– ¡Papá! ¡Papá!

Su padre se despertó y se levantó rápidamente. Fue corriendo a evaluar la situación. Miró el mar e inspeccionó el barco. Mientras él inspeccionaba el barco, su esposa gritaba por la radio: *«Mamá al Ori-*

[2]*corriente del golfo - Gulf Current*

noco. Haloooo… Pablo, ¡¿qué pasa?! ¿Por qué no responde? ¡Tito!». Pablo no pudo hablar con su esposa, en ese momento, tenía que inspeccionar el barco. El Orinoco saltaba descontroladamente. Por fin, Pablo notó que había un problema con un cable. Él lo reparó y el barco se calmó un poco. *«¡Pablo!»* gritó una voz histérica por la radio. Pablo agarró la radio y habló:

– Hola querida –le respondió con voz calmada.

– ¡Ay, Pablo! ¿Por qué no me respondías?

– Perdón, querida, estaba reparando un cable.

– Mira, Pablo. Hay un problema… Escuché el pronóstico del tiempo… Pronostican una tormenta que puede convertirse en un huracán. Pronostican mucho viento y olas grandes.

– No te preocupes, querida. Hay poco viento y todo está tranquilo.

Tito escuchó a su padre y tuvo miedo. Era obvio que su padre no quería que su madre se preocupara. El tiempo realmente estaba horrible. La tormenta ya no estaba en la distancia, estaba muy cerca del Orinoco. Tito la miró y tuvo miedo. Notó que el viento estaba más fuerte y las olas también. Su padre continuaba hablando con su madre. Quería convencerla de que todo estaba bien.

> – Sí querida, todo está bien. ¿Cómo está progresando 'El Gran Plan'?
>
> – Bien. Nos-

«*kissshhhh*» En este momento, se interrumpió la comunicación. Pablo ya no pudo oír a su esposa, sólo pudo oír «kisshhh, kissshhhhh» en la radio. De repente, el barco empezó a temblar y un objeto apareció en medio de la tormenta.

Tito miró el objeto en el aire y lo estudió. Tenía la forma de un disco, era grande, ¡muy grande!

Era de color gris. ¡Se movía por el aire hacia el Orinoco! El barco temblaba más y más. ¡Temblaba violentamente! Tito y su padre miraron el disco con terror y Tito exclamó:

> – Es un objeto volador no identificado. ¡Es un OVNI!

Su padre no podía hablar ni podía moverse, sólo miró el OVNI. El OVNI flotaba en aire y se movía hacia el Orinoco. De repente, un láser salió del OVNI en dirección al barco. El láser era muy brillante e intenso. De repente, el láser levantó el barco. ¡Lo levantó fuera³ del agua! El barco salió del agua y fue levantado en el aire. Fue levantado durante unos minutos y ¡Tito y su padre estaban aterrorizados! Tito gritó con horror y su padre todavía no podía moverse. Parecía estar paralizado. Entonces, en medio del aire, escucharon una voz por la radio: *«¿Qué información tiene sobre El Gran Plan?»* –preguntó una voz misteriosa. Tito escuchó la voz y miró a su padre con ojos muy grandes. Su padre todavía no podía moverse. No le respondió a la voz. ¡Ya no quería comunicarse con extraterrestres!

³*fuera - out*

Capítulo 5
¡Capturados!

Al llegar al interior del OVNI, Pablo y Tito tuvieron mucho miedo. Muchos extraterrestres corrían hacia el barco. Todos los extraterrestres parecían iguales. Hablaban muy rápido, pero no hablaban inglés ni español. Hablaban un idioma[1] especial. ¡Hablaban un idioma de extraterrestres! Tito y su padre miraron a los extraterrestres. El padre de Tito pensó en la situación y le dijo a Tito con voz calmada:

[1]idioma - language

– Tito, no te preocupes. No creo que los extraterrestres quieran hacernos daño[2]. No me parecen violentos.

– Sí papá, el líder del Vuelo 19 creyó también que los extraterrestres no querían hacerles daño –Tito le respondió con sarcasmo–. Los extraterrestres no les parecían violentos a los pilotos desaparecidos tampoco.

El padre de Tito realmente no tenía idea de las intenciones de los extraterrestres. Los estudiaba, pero no podía comprender ni sus acciones ni su idioma. Los extraterrestres también estudiaban a Tito y a su padre. Los estudiaban, pero no les hablaban.

Mientras los hombres y los extraterrestres se estudiaban unos a otros, un humano apareció entre los extraterrestres. El humano era un hombre. El hombre era un poco gordo y parecía un hombre normal, ¡parecía un hombre simpático! Ni Tito ni su padre le tuvieron miedo al hombre.

– Hola. Me llamo Carlos. Soy el contacto

[2]*hacernos daño - to harm/hurt us*

para los humanos. Bienvenidos a la Nave Madre[3].

Tito miró al hombre, pero no podía hablar. Su padre le respondió al hombre:

– Hola, Carlos. Yo soy Pablo García. ¿Por qué nos 'invitaron' a la Nave Madre? –le preguntó Pablo con un tono sarcástico.

– El General Glux los 'invitó' –le respondió Carlos riéndose un poco.

– ¿El General Glux? –le preguntó Pablo confundido.

– Sí, el General Glux es el general de la Nave Madre –le respondió Carlos con total naturalidad.

– ¿Qué quiere el general con nosotros?

– Él va a explicarles todo mañana. Vamos a su dormitorio ahora.

– ¿A nuestro DORMITORIO? –exclamó Tito–.

– Sí, es un dormitorio especial, es para humanos.

[3]*Bienvenidos a la Nave Madre - Welcome to the Mother Ship*

– No vamos a quedarnos aquí –le respondió Tito con pánico en la voz.

Carlos no le respondió inmediatamente. Hubo un momento de silencio y Carlos miró a Tito con ojos tristes. Por fin, le dijo:

– Un humano que visita la Nave Madre se queda para siempre. Los humanos nunca salen. Quedarse con los extraterrestres no es completamente terrible, –le dijo con voz triste.

En ese momento, Tito tuvo mucho miedo. Empezó a llorar silenciosamente. Su padre también tenía miedo, pero tenía un espíritu fuerte y no aceptó el comentario de Carlos. No podía creer que nunca iban a salir de la Nave Madre. Tenía que hacer un plan, ¡un plan de escape! Se levantó calmadamente y le dijo a Carlos:

– Está bien, Carlos. Vamos a nuestro dormitorio. ¡La Nave Madre es increíble! Es posible pasar por el interior de la nave mientras vamos a nuestro dormitorio? –le preguntó Pablo con total naturalidad.

Pablo quería actuar completamente calmado,

completamente natural. Quería que Carlos y los extraterrestres creyeran[4] que estaba contento de estar en la Nave Madre.

Pablo y Tito pasaron por la nave con Carlos. Todo parecía ser muy avanzado tecnológicamente. Todo era de color gris.

> – ¿Por qué todo es gris? –le preguntó Tito–. ¿Por qué no hay nada de color?
>
> – Porque los extraterrestres no pueden ver colores. Ven todo en negro y blanco.

Los tres continuaron paseando por la nave. De repente, la nave empezó a moverse. Empezó a bajar rápidamente. Continuó bajando unos minutos más.

> – ¿Qué pasa? –preguntó Tito nervioso.
>
> – Estamos bajando a Atlantis.
>
> – ¡¿A Atlantis?!...¿la famosa ciudad que está debajo del mar?
>
> – Sí –le respondió Carlos–. Es la base mundial[5] de los extraterrestres. Se encuentran con los humanos aquí en Atlantis.

---

[4]*(que) creyeran - (that) they believed*
[5]*mundial - world (adj.)*

– ¿En realidad, es una ciudad? ¿No es una leyenda? –le preguntó Tito con curiosidad.

– No es una leyenda, es una ciudad submarina. ¿Quieres verla?

– ¡Sí! –le respondió Tito con miedo y con curiosidad.

Los tres bajaron por una rampa y llegaron a una parte de la nave que parecía una burbuja[6]. Era una burbuja clara que estaba conectada debajo de la nave. Era una burbuja grande. De la burbuja, ellos podían ver toda la ciudad de Atlantis. Parecía que la ciudad de Atlantis quedaba dentro de una burbuja. Pablo y Tito observaron la ciudad.

[6]*burbuja - bubble*

31

¡Había cruceros[7], barcos pequeños, barcos militares, aviones pequeños, aviones grandes y aviones militares en la ciudad! En ese momento, Tito tuvo mucho miedo y exclamó:

> – ¡Son los aviones del Vuelo 19! ¡Todos los barcos y aviones son de los desaparecidos! Ahora…¡nosotros somos los desaparecidos!
>
> – Tito, no. Quedarnos en Atlantis eternamente no es nuestro futuro –le respondió su padre calmadamente.

Carlos miró a Pablo y a Tito y con voz sincera y ojos tristes, les dijo:

> – Quedarse eternamente en Atlantis, sí, es su futuro. Es mi futuro también. He estado[8] aquí durante más de trescientos años.
>
> – ¡Trescientos años! –exclamó Tito.

Tito pensó un momento y estuvo confundido. ¿Cómo era posible quedarse en Atlantis durante más de trescientos años?

---

[7]*cruceros - cruise ships*
[8]*he estado - I have been*

– Usted no parece tener trescientos años –le comentó.

– Gracias –le respondió Carlos riéndose.

– ¿Cómo es posible? –le preguntó el padre de Tito.

– Dentro del Triángulo hay un salto de tiempo[9]. El tiempo en el Triángulo está suspendido. Realmente, no hay tiempo. El tiempo no existe.

– ¿Cómo que no existe el tiempo?– le preguntó Tito con un tono irritado–. ¿Cómo llegó usted aquí? ¿Por qué se queda? ¿Por qué no sale? ¿Por qué...

– Tito –lo interrumpió su padre–, permítele responder antes de hacer otra pregunta.

Carlos se rió y respondió:

– Era el año 1670 y estaba a bordo de un barco español que estaba pasando por el Mar Caribe hacia España. Mientras pasábamos por Cuba hacia las islas Bermudas, nos encontramos con una horrible tormenta. Parecía un huracán. De re-

[9]*salto de tiempo - time warp (jump in time)*

pente, una luz roja[10] salió de un objeto
que flotaba en el aire. El objeto era la
Nave Madre. El barco empezó a temblar
y luego, la luz levantó el barco fuera del
agua. El barco se levantó del agua y entró
en la Nave Madre. He estado aquí desde
ese momento.

La historia les parecía muy familiar a Pablo y
Tito. Carlos miró por la burbuja con ojos tristes e
indicó donde estaba su barco:

– Miren…El barco negro es el mío.

Pablo y Tito miraron el barco por la burbuja. Era
un barco de los años mil seiscientos (1600's). Parecía un barco de piratas. *«Trescientos años…»*,
pensó Tito…*«¡¿El señor Carlos ha estado en Atlantis
durante más de trescientos años?! ¿Por qué no se
va?»*.

– Señor –le dijo Tito–, con todo respeto,
¿por qué no se va? ¿Por qué se queda
aquí? ¿Es usted prisionero?

– Realmente no soy prisionero. Soy…un…
un…sirviente. Soy sirviente del General

[10]*luz roja - red light*

Glux, el general de la Nave Madre.

– ¿Qué quieren los extraterrestres de nosotros? ¿Por qué nos capturaron? –le preguntó Tito.

– Porque…ustedes tienen información
sobre El Gran Plan.

– ¡¿El Gran Plan de la boda?! –exclamó Tito
sorprendido.

– No, ¡El Gran Plan de ¡controlar al
mundo!

«¡¿Controlar al mundo?!», pensó Tito con pánico. Tito miró a su padre y vio que su padre también tenía miedo. Los dos se miraron. Con los ojos,
se comunicaron que no querían quedarse trescientos años en Atlantis ni querían ser sirvientes de un
extraterrestre…¡ni querían ser parte de El Gran Plan
de controlar al mundo! Sus ojos se comunicaron:
«¡Necesitamos escaparnos!».

Capítulo 6
Un plan ingenioso

Pablo y Tito estaban exhaustos. Carlos habló mucho. Hablaba, hablaba y hablaba. Pablo y Tito ya no querían escucharlo más. Necesitaban descansar. Todo el estrés del día los afectó mucho.

> – Carlos, por favor, necesitamos descansar. Estamos exhaustos –le dijo el padre de Tito.
>
> – Está bien –le respondió–. Vamos a su dormitorio.

36

Al llegar a su dormitorio, Tito y su padre empezaron a hacer un plan de escape. Querían preparar un plan completo antes de dormirse, pero no pudieron. No pudieron quedarse despiertos. Estaban tan exhaustos que se durmieron rápidamente.

En la mañana, se levantaron y hablaron de su plan de escape. El problema era que no tenían ni idea de cómo podrían[1] escaparse. Después de unos minutos, Carlos llegó a su dormitorio.

> – Buenos días. El General Glux quiere hablarles ahora.

> – ¿Y si no queremos hablar con el general?... –le respondió Pablo con un tono irritado.

> – No tienen opción –dijo Carlos muy serio.

Pablo no quería hablar con el general. Quería tener un plan preparado antes de hablarle, pero no fue posible. Ellos pasaron por la nave y llegaron a un área secreta. Carlos les dijo: *«Voy a regresar con el general en un momento»*, y salió rápidamente.

Al minuto, Carlos entró con el General Glux. El General Glux era un extraterrestre, pero era más

[1]*podrían - they would be able, could*

grande que los otros extraterrestres. Los otros extraterrestres parecían normales- tenían dos brazos, dos manos y dos ojos. Pero el General Glux no parecía normal. Era diferente a los otros extraterrestres. Tenía tres brazos y tres ojos. Tenía dos ojos normales y un ojo grande en medio de su frente[2]. Tenía dos brazos normales y un brazo, que parecía un tentáculo, en medio del pecho[3].

Cuando entraron al área secreta, el general agarró la cabeza de Carlos. Lo agarró con el 'brazo-tentáculo' que tenía en medio del pecho. Al instante, Carlos se vio diferente, parecía más como un robot que como una persona. Cuando el general agarró la cabeza de Carlos, su color se convirtió de gris a verde y el ojo en medio de la frente también se convirtió al color verde. Tito y su padre lo miraron asombrados[4].

El general miró a Tito y a su padre con sus dos ojos normales, pero miró a Carlos con el ojo grande en medio de la frente. Carlos, que parecía estar paralizado, miraba atentamente al general. El general

[2]*frente - forehead*
[3]*pecho - chest*
[4]*asombrados - amazed*

empezó a comunicarse con Tito y su padre. Parecía hablarles con la voz de Carlos. Les habló con voz robótica:

– YO SOY EL GENERAL GLUX. SOY OFICIAL
DEL PRESIDENTE DE LA LEGIÓN GALÁC-
TICA.

Tito y su padre escucharon la voz y observaron la situación muy asombrados. Parecía que el general tenía control completo sobre Carlos. Lo controlaba con su brazo-tentáculo. Tito y su padre estaban muy asombrados, pero también tenían miedo. El padre de Tito pensó rápidamente y le respondió al general inteligentemente:

– General, soy Pablo García. Soy sirviente del Presidente de la Legión Galáctica –le dijo con un saludo militar.

– POR FIN, LLEGARON. HEMOS ESTADO[5] ESPERÁNDOLOS POR MUCHOS AÑOS –le dijo Glux con la voz robótica de Carlos.

Ni Tito ni su padre comprendían la situación, pero el padre de Tito continuó la conversación inteligentemente.

– Sí, General, por fin llegamos.

– ¿CUÁNDO VA A LLEGAR EL PRESIDENTE? ¿POR QUÉ NO LLEGÓ CON USTEDES?

– Ah… ah…–le respondió, pensando en una respuesta inteligente–. Porque… porque es parte de El Gran Plan.

– ¿USTEDES VAN A ENCONTRARSE CON EL PRESIDENTE ANTES DE SU LLEGADA A LA NAVE MADRE?

El padre de Tito pensó rápidamente. Necesitaban un plan perfecto para escaparse de los extrate-

[5]*hemos estado - we have been*

rrestres. Tito comprendió sus intenciones perfectamente y estaba asombrado de su inteligencia y de su calma. Su padre le respondió con completa naturalidad:

> – Sí, General. Lo vamos a encontrar en Puerto Rico.

> – ¿Por qué van a encontrarlo en Puerto Rico?

> – Porque es parte de El Gran Plan –le respondió el padre de Tito con confianza.

El general pareció aceptar su respuesta y continuó haciéndole preguntas:

> – ¿CÓMO VAN A ENCONTRARLO?

> – Vamos a encontrarnos en el OVNIpuerto en Lajas.

> – EL OVNIPUERTO EN LAJAS, PUERTO RICO ES MUY PEQUEÑO. NO HAY UN OVNIPUERTO SUFICIENTEMENTE GRANDE PARA LA NAVE MADRE. POR ESO, ESTAMOS AQUÍ EN EL OCÉANO, EN LA CIUDAD DE ATLANTIS.

> – Obvio, General. No vamos a encontrarlo en la Nave Madre. Vamos a encontrarlo

en el Orinoco.

– ¿POR QUÉ EN EL ORINOCO?

– ¡Porque es parte de El Gran Plan! –le respondió Pablo firmemente, con un tono irritado–. ¡Es obvio! Tenemos que ir en secreto. No queremos llamar la atención de La Guardia Costera[6] ni los militares.

Tito estaba muy asombrado. ¡Su padre era brillante! El general parecía creer todo. El general continuaba haciéndole preguntas y su padre continuaba respondiéndolas inteligentemente:

– ¿CUÁNDO VAN A ENCONTRARLO?

– ¡Ahora! –le respondió con una voz de autoridad–. Es una misión crítica. Tenemos que ir inmediatamente. La Nave Madre va a depositar el Orinoco cinco kilómetros al este[7] de Puerto Rico. Entonces, vamos a navegar a Puerto Rico para encontrarnos con su majestad, el Presidente. ¡El Presidente está esperándonos!

[6]*La Guardia Costera - The Coast Guard*
[7]*este - east*

—Y CUANDO USTEDES LO ENCUENTREN, ¿QUÉ HACEMOS?

—Esperen aquí en el Triángulo. Cuando lo encontremos, vamos a regresar al Triángulo navegando el Orinoco.

—¡PERFECTO! CUANDO LLEGUE EL PRESI-DENTE, EL GRAN PLAN ESTARÁ[8] COM-PLETO. POR FIN, PODREMOS[9] CONTROLAR AL MUNDO.

[8]*estará - (it) will be*
[9]*podremos - we will be able*

Capítulo 7
¡A Puerto Rico!

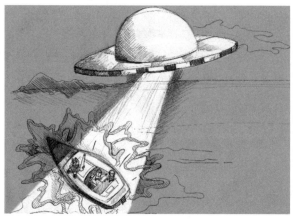

Muchos extraterrestres corrían por la Nave Madre, preparándose para la llegada del Presidente de la Legión. El General Glux estaba en frente del Orinoco, esperando a Tito y a su padre. El general agarró la cabeza de Carlos con su brazo-tentáculo y otra vez, Carlos parecía un robot. Carlos miraba al general y el general miraba a Pablo y a Tito con sus ojos normales y miraba a Carlos con el ojo grande en medio de la frente. Entonces, usando la voz de Carlos, el General Glux les habló con voz robótica:

— GRACIAS POR SU DEDICACIÓN A LA LE-
GIÓN DE EXTRATERRESTRES.

— Es un privilegio –le respondió Pablo con
un saludo militar–. General, navegar por
el Triángulo es difícil y es posible encontrarnos con problemas en Puerto Rico.
Necesitamos ayuda. Carlos es experto en
la navegación, es parte de El Gran Plan.
Él necesita ir con nosotros.

— A SUS ÓRDENES[1] –le respondió el general.

Entonces, el general desconectó su brazo-tentáculo de la cabeza de Carlos. Al instante, Carlos se
vio normal, pero no tenía ni idea del plan que
había inventado[2] el padre de Tito.

— Tito, Carlos, ¡al barco! ¡Rápido! El Presidente está esperándonos –les dijo Pablo
con voz de autoridad–.

Tito abordó el barco rápidamente. ¡No quería esperar ni un minuto más para escaparse! Su padre

[1]*a sus órdenes - at your service*
[2]*había inventado - he had invented*

45

empezó a abordar el barco, pero Carlos no se movió. Sólo miró a Tito y a Pablo confundido. Pablo agarró a Carlos del brazo y le gritó con tono irritado:

– Carlos, ¡vámonos! ¡Aborde el barco!

Los dos hombres abordaron el barco y la Nave Madre empezó a moverse. Pablo les gritó órdenes a Tito y Carlos:

– Preparen las velas. Cuando lleguemos al mar, vamos a ir en dirección a Puerto Rico.

En unos minutos la Nave Madre estaba en el aire, a cinco kilómetros de Puerto Rico. La Nave Madre bajó al agua y depositó el Orinoco en el agua.

– ¡Vámonos! –gritó Pablo con voz de determinación–. ¡A Puerto Rico! Tenemos que buscar una oportunidad para escaparnos. Vamos a buscar ayuda en Puerto Rico.

– ¡Sólo tenemos que salir del Triángulo para escaparnos! –gritó Carlos muy emocionado–. La Nave Madre no puede salir del Triángulo.

– Tito, ¡navega hacia el oeste! –le ordenó su padre mientras miraba el mapa.

Tito miró el compás y navegó hacia el oeste. Su padre quería usar el GPS, pero no funcionaba. Tampoco funcionaba la radio. Su padre sólo podía usar los mapas. Estudiaba los mapas y miraba hacia el oeste. Carlos miraba la Nave Madre que flotaba en la distancia y Tito conducía el barco. ¡Era una situación muy tensa! ¡Todos tenían miedo! ¡No querían ser recapturados por los extraterrestres! Con un tono muy serio, Pablo les explicó el plan:

– Cuando estemos muy cerca de Puerto Rico, vamos a continuar hacia el oeste. Vamos a seguir la costa de la isla. Cuando lleguemos al punto noreste de la isla, vamos a seguir la costa hacia el sur y luego, hacia el este. Vamos a hacer un gran círculo fuera del Triángulo. Entonces, podremos³ navegar en el Océano

---

³*podremos - we will be able*

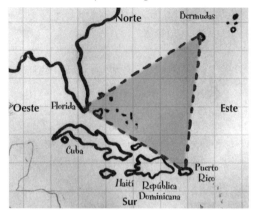

Atlántico hacia Annapolis fuera del Triángulo, fuera del control de los extraterrestres.

– ¿Por qué no salimos del Triángulo ahora? –le preguntó Tito.

– Porque no queremos llamar la atención de los extraterrestres. La Nave Madre es muy rápida. Es más rápida que el Orinoco. Nuestra ruta les va a parecer muy natural a los extraterrestres porque tenemos que seguir la costa de la isla para llegar a Lajas.

Tito siguió conduciendo mientras su padre miraba el compás y el horizonte por el oeste. Carlos miraba la Nave Madre con preocupación. Después de unos minutos, Pablo vio una isla. Gritó:

– ¡La veo! Veo Puerto Rico. Tito, sigue navegando hacia el oeste.

– Sí, papá –le respondió Tito entusiasmado.

Cuando estaban muy cerca de la costa, Tito condujo el barco hacia el oeste, siguiendo la costa. La Nave Madre seguía el Orinoco y cuando el Orinoco llegó al borde del Triángulo, el láser salió de la nave en dirección al Orinoco. Carlos lo vio y gritó con pánico en la voz:

– ¡Ay! ¡El láser! ¡Rápido!

– ¡Carlos, ajuste la vela grande! –le gritó Pablo.

Carlos ajustó la vela y el barco fue más rápido. Tito temblaba de miedo, pero siguió navegando lo más rápido posible. De repente, el láser desapareció, pero la nave se quedó cerca del borde del Triángulo.

– ¡Uaaaaaooooo! –gritó Carlos con emoción–. Ya salimos del Triángulo. ¡Ya nos escapamos!

– ¡Tito, sigue la costa! –le ordenó su padre mirando la Nave Madre nervioso.

Tito condujo el barco con mucha concentración. Seguía la costa de la isla y poco a poco, la Nave Madre desapareció a la distancia…

Capítulo 8
La libertad ilusiva

Tito condujo el Orinoco siguiendo la costa de Puerto Rico por unas horas. El barco estaba cerca del punto suroeste de la isla. Carlos y Pablo buscaron la Nave Madre, pero ya no pudieron verla.

– ¡Por fin! –gritó Carlos–. Esperé la libertad trescientos años y por fin, la encontré.

Los tres navegantes celebraron su escape de los extraterrestres. Celebraron su libertad. Saltaban y gritaban. Estaban muy, muy contentos. Celebraban tanto que no notaron la tormenta que se estaba formando. Por fin, Pablo la notó y les dijo a Carlos y a Tito:

> – Ya no podemos celebrar. ¡Miren la tormenta!

Tito y Carlos miraron la tormenta. Ya no celebraron. Tito navegaba con mucha concentración mientras su padre miraba la costa y estudiaba el mapa. Quería usar el GPS, pero todavía no funcionaba. Tampoco funcionaba la radio. Tito estaba preocupado conduciendo el barco porque las olas y el viento estaban muy fuertes. El viento estaba forzando el barco hacia la isla.

– Papá –le gritó Tito–, el viento está muy
fuerte. Está forzando el barco hacia la
costa.

– El viento va a forzar el barco hacia las
rocas. ¡Es muy peligroso! Yo quería pasar
la noche en Puerto Rico, pero no es posible. Tenemos que hacer un círculo más
grande, no podemos pasar tan cerca de la
isla –le respondió su padre.

Carlos miró el mar y miró la tormenta y ¡tuvo
mucho miedo!

– Es evidente que esta tormenta no es una
tormenta normal. ¡Es una tormenta extraterrestre! –exclamó con voz histérica.

– ¿Una tormenta extraterrestre? –le preguntó Tito con miedo.

– Sí, los extraterrestres causan tormentas
fuertes para controlar a los humanos. Se
están preparando para la llegada del Presidente de la Legión… se están preparando para el regreso del Orinoco al
Triángulo.

Tito temblaba de miedo. Le tenía miedo a la

furia del mar y les tenía miedo a los extraterrestres. ¡El viento era muy fuerte y las olas grandes parecían estar atacando al Orinoco! El barco saltaba entre las olas y casi no podía flotar. Tito siguió conduciendo el barco por el mar violento, pero casi no podía controlarlo.

Todos estaban exhaustos, pero no podían descansar. Tenían que quedarse atentos a la situación peligrosa. Navegar entre las islas y las rocas por la noche era muy peligroso. No podían ver porque la tormenta bloqueaba la luz de la luna[1]. Querían seguir la costa de Puerto Rico, pero ¿cómo podían seguirla si no podían verla?

Los navegantes continuaron navegando toda la noche, combatiendo las grandes olas y la tormenta extraterrestre. No podían ver nada en la negra noche. ¡Los tres estaban completamente exhaustos!

Poco a poco, el mar y el viento se calmaron y la luz del día apareció. Podían ver, pero no podían ver muy bien. No veían ni las islas ni la civilización. Sólo veían el mar y un objeto muy pequeñito en la distancia.

[1]*luna - moon*

– ¿Dónde estamos? –le preguntó Tito a su padre.

– No sé exactamente –le respondió su padre mirando el mar con sus binoculares–.

– ¿Estamos perdidos? –le preguntó Tito nervioso.

– No, Tito. No estamos perdidos. Creo que estamos al sureste de Puerto Rico, sureste de las islas Vírgenes– le respondió calmado–. Navega el barco hacia el norte. A ver si encontramos las islas Vírgenes o el Océano Atlántico.

¡Tito estaba completamente exhausto! Su padre lo notó y le dijo:

– Tito, necesitas descansar. Yo puedo conducir el barco y Carlos puede ayudarme.

– Está bien, papá.

Tito fue a su dormitorio para dormir y Pablo y Carlos condujeron el barco. El viento no era tan fuerte y el mar ya se calmaba. En ese momento, todo parecía tranquilo. Después de una o dos horas, Carlos ya no pudo quedarse despierto. Se durmió mientras Pablo conducía el barco. Pablo miró el compás y notó que el barco continuaba hacia el norte. Buscó la isla de Puerto Rico, pero no la vio, sólo vio agua por todas partes.

Pablo condujo el barco durante unos minutos, pero ¡necesitaba dormir! Casi no podía quedarse despierto. Pablo miró el mar y pensó: *«¿Ya pasamos Puerto Rico? Parece que ya estamos en el Océano Atlántico.»*.

El mar estaba muy tranquilo ahora y el barco flotaba tranquilamente. Con toda esa serenidad, Pablo no pudo quedarse despierto. Se durmió mientras el barco flotaba en el océano.

Los tres navegantes dormían tranquilamente. No tenían ni idea de que otro peligro les esperaba. De repente, hubo una explosión: *«¡Bum, bam!»*. ¡Los tres navegantes se despertaron aterrorizados! Carlos saltó e investigó la explosión.

– ¡Despiértense! ¡Alerta, alerta! ¡Es un ataque de piratas! –gritó Carlos histéricamente.

– ¡Llama a la Guardia Costera! –gritó Tito con pánico en la voz.

El padre de Tito no podía creer que realmente piratas estuvieran atacando el Orinoco. Miró el barco y saltó de miedo cuando «¡Bum, bam!», hubo otra explosión cerca del Orinoco. ¡Ahora lo creyó! Pablo fue corriendo a su dormitorio, agarró su pistola y regresó con su pistola en la mano. Carlos miró la pistola pequeña y le dijo, riéndose cínicamente:

– ¿Tienes idea de quién está atacándonos?

– Evidentemente, unos piratas –le respondió Pablo irritado.

– No sólo unos piratas, son los piratas más crueles y violentos de todo el Mar Caribe. Necesitarías[2] un millón de pistolas

[2]*necesitarías - you would need*

para defenderte de estos piratas –le dijo
Carlos, temblando–. ¿No ves el barco?...
¡Es la Perla Blanca y el pirata que está
atacándonos es Henry Morgan, el capitán
de la Perla Blanca!

Carlos tenía mucho miedo. ¡Temblaba de
miedo! Tito y su padre miraron a Carlos confundi-
dos. Carlos notó su confusión y les explicó impaciente:

– ¿No comprenden? Henry Morgan me
capturó. Me torturó. Estaba escapándome
de él cuando los extraterrestres me capturaron.

– ¡¿Henry Morgan lo capturó a usted?! –le
preguntó Tito muy sorprendido.

– ¡Sí! ¡Fue horrible! Prefiero saltar al mar
que ser capturado por él o los extraterrestres de nuevo.

– Pero Henry Morgan está muerto[3] –le dijo
Pablo muy confundido–. Ya no vive. Vivía
en los años 1600's, pero no vive ahora.

– ¡Está vivo! Es él quien está atacándonos

[3]*muerto - dead*

58

–le respondió Carlos con convicción.

En ese momento, Pablo notó que la situación era muy grave e inusual.

Capítulo 9
Revelaciones increíbles

Pablo le gritó a Carlos:

– ¡Carlos, ajuste la vela grande! ¡Rápido!
Tenemos que navegar más rápido que los
piratas. ¡Es la regata más importante de
nuestras vidas!

Los piratas atacaron el Orinoco con sus caño-
nes. «¡Bam, bum!», explotó un cañón muy cerca
del Orinoco. El barco tembló y los tres navegantes
saltaron.

– ¡Ay! –exclamó Tito con miedo.

– ¡Rápido! ¡Tenemos que ir más rápido! –gritó Carlos.

Los piratas continuaron atacando el Orinoco. Era una situación muy tensa. Tito, Pablo y Carlos navegaron como expertos y el Orinoco pasó por el Océano Atlántico rápidamente. Ellos navegaban en silencio, concentrándose en escaparse de los piratas. Tito controlaba el barco mientras su padre miraba el compás y estudiaba los mapas. Carlos buscaba a los piratas con los binoculares.

– Sigue hacia el norte, Tito. ¡No queremos entrar en el Triángulo!

Poco a poco, la Perla Blanca desapareció en la distancia.

– Ya no los veo –les dijo Carlos–.

– Páseme los binoculares –le dijo Pablo a Carlos–.

– Oooh, se llaman binoculares –le respondió Carlos asombrado–. Es como un doble telescopio.

– Sí –le respondió Pablo riéndose.

Carlos miró la radio y le preguntó con curiosidad:

– ¿Qué es esto?

Tito escuchó su pregunta y en este momento comprendió que la navegación moderna era muy diferente que la navegación de 1600. Carlos nunca había visto una radio. No comprendía cómo funcionaba. Tampoco había visto un GPS ni tampoco había visto binoculares. *«¡Qué situación extraordinaria!»*, pensó Tito.

– Es una radio –le explicó su padre–. Es una máquina moderna que se usa para comunicarse a largas distancias. No puedo demostrárselo porque no funciona. Me imagino que no funciona porque realmente no existe. Tito escuchó la explicación y estuvo confundido. Le preguntó a su padre:

– ¿Cómo que no existe? Sí existe. Puedo verla. Todos podemos verla.

– Bueno… la radio sí existe… en el futuro existe, pero en 1600, todavía no existe.

Era obvio que Tito no comprendía y su padre siguió explicándole:

– Tito, no estamos en el año 2012. Regresa-

mos al pasado, regresamos a los años
1600. Regresamos a la era de Carlos…
¡Regresamos a la era de los piratas!
¡Tito no podía creerlo! ¡No era posible!

– ¡¿Cómo?! ¿Cómo es posible? –le preguntó
incrédulo.

– Realmente, no sé –le respondió su
padre–. No comprendo exactamente qué
ocurrió.

Carlos tenía mucha experiencia con los extraterrestres y les explicó:

– Creo que ocurrió un fenómeno extraordinario. Cuando una persona pasa debajo
del láser de los extraterrestres, dentro del
Triángulo, hay un salto de tiempo. Ocurre un salto en el tiempo porque el
tiempo no existe en el Triángulo. Normalmente, una persona capturada por los extraterrestres no nota el salto en el tiempo.
No lo nota porque normalmente los capturados nunca salen de la Nave Madre, ni
salen del Triángulo.

Tito y su padre escuchaban atentamente. Estaban muy asombrados. Carlos continuó explicando el fenómeno:

> – En su caso, cuando ustedes salieron del Triángulo, hubo un salto grande en el tiempo porque yo estaba con ustedes. Regresamos al año 1670 cuando me capturaron los extraterrestres. ¡Regresamos al pasado!

> – ¡¿Estamos en el año 1670?! –exclamó Tito asombrado.

> – Creo que sí –le respondió Carlos.

> – ¿Exactamente cuándo lo capturaron los extraterrestres a usted?

> – Era el 25 de mayo de 1670.

> – ¿Estaba usted con los piratas cuando lo capturaron los extraterrestres? –le preguntó Tito con curiosidad.

> – No, no estaba con los piratas. Estaba con la flota española siguiendo la ruta hacia España.

> – Pues…–dijo Tito mientras pensaba en todo esto–, ¿Cuándo le capturaron los piratas?

– Tito, –le dijo su padre con seriedad–, hacer tantas preguntas no es respetuoso[1].

– No hay problema –le respondió Carlos riéndose–. Les voy a explicar todo: Era el quince de mayo de 1670 y yo estaba en el mercado en Puerto del Príncipe, Cuba. Estaba con unos amigos españoles cuando entraron los piratas al mercado. Había un gran caos y la gente corría por todas partes. Querían escaparse de los piratas. Yo estaba un poco gordo… estaba más gordo que ahora. Ja, ja, ja…
Bueno… Yo no podía correr muy rápido y los piratas me capturaron. Ellos me torturaron y me forzaron a revelar un secreto importante.

– ¿Cuál fue el secreto? –le preguntó Tito con mucho interés.

– Querían que les revelara dónde estaba el mapa secreto. Mi capitán tenía el mapa y los piratas lo buscaban. Me forzaron a decirles dónde estaba. Pensé que yo me

[1]respetuoso - respectful

podría[2] ir cuando se los revelara, pero
no. Los piratas no me permitieron ir. Me
quedé capturado durante unos días. Los
piratas me torturaron. ¡Fue horrible!

– ¿Cómo se escapó? –le preguntó Tito que
escuchaba atentamente.

– Pues… los piratas se preparaban para
salir de Cuba. Querían buscar a mi capitán, Antonio Medina, porque él tenía el
mapa secreto. Dos piratas me agarraron y
empezaron a forzarme a abordar La Perla
Blanca.

[2]*podría - could*

A punto de abordar, los dos piratas empezaron a argumentar. Uno atacó al otro y
en ese momento, me escapé corriendo.
Los dos piratas causaron mucha conmoción y nadie notó que yo me había escapado[3].

Tito y su padre escucharon atentamente. ¡Era
una historia interesante! Carlos continuó su historia
entusiasmado:

– Después de escaparme, me encontré con
unos navegantes españoles. Salí para España con ellos. Seguíamos la ruta hacia
España cuando nos encontramos con los
extraterrestres en el Triángulo.

¡La historia de Carlos era increíble! Tito y su
padre escucharon la historia asombrados. A Carlos
le gustaba hablar. Hablaba mucho y todo era muy
interesante. Estaban todos muy ocupados con las
historias de Carlos y ninguno de ellos notó que
unos ojos estaban mirándolos, observando todo.

[3]*había escapado - I had escaped*

Capítulo 10
Problemas en doble

La Nave Madre flotaba en el aire cerca del borde del Triángulo. Los extraterrestres miraban el Orinoco en la distancia, pero los tres navegantes no tenían la más mínima idea. No notaron la Nave Madre flotando en la distancia ni el viento que forzaba el barco hacia el Triángulo. Ellos hablaban de piratas, de la boda en Annapolis, del pasado y del futuro. Carlos estaba asombrado escuchando descripciones del futuro y mirando la radio, el GPS y los teléfonos celulares. Carlos estudiaba la tecnología del futuro cuando Tito gritó con voz de pánico:

– ¡Ay ay ay!

Su grito llamó la atención de su padre y de Carlos. Ellos ya no miraban la tecnología del futuro. Miraron hacia el Triángulo y vieron la Nave Madre. Carlos tuvo mucho miedo y gritó:

– ¡Alerta! ¡Alerta!

– Cálmense –les dijo el padre de Tito con la voz de la lógica–. Tito, conduce el barco hacia el este. Vamos hacia el este unos kilómetros. Entonces, vamos a seguir hacia el norte, pero no tan cerca del borde del Triángulo.

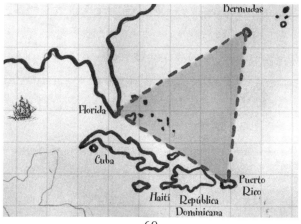

Tito condujo el barco hacia el este, pero el viento estaba muy, muy fuerte. Forzaba el barco hacia el Triángulo. El barco no podía ir muy rápido. Los tres navegantes combatían el viento y las olas que otra vez, parecían estar atacando el barco. Era evidente que los extraterrestres querían forzar al Orinoco dentro del Triángulo. El barco casi no podía moverse por el agua. Se movía poco a poco. Era obvio que Tito y Carlos tenían mucho miedo. Pablo quería calmarlos y les dijo riéndose:

> – A esta velocidad, vamos a llegar a Annapolis en trescientos cuarenta y dos años. Pero no hay problema… a esta velocidad, ¡llegaremos a tiempo[1]! Ja, ja, ja.

Ni Tito ni Carlos se rieron. Se preocuparon más y más. Pablo pensó en la situación. Estaban en un grave predicamento. Los extraterrestres los querían capturar, los piratas los perseguían y estaban atrapados en el pasado. Necesitaban un plan– un plan para escaparse de los extraterrestres y los piratas, un plan para llegar al futuro y un plan para llegar a Annapolis a tiempo para la boda. Pablo estudió el

[1]*llegaremos a tiempo - we will arrive on time*

mapa y les explicó:

– Vamos a seguir hacia las islas Bermudas, pero no muy cerca del Triángulo. Cuando lleguemos a las islas Bermudas, vamos a pasar por el punto del Triángulo.

– ¡No! –gritó Tito. ¡No quiero entrar en el Triángulo de nuevo!

Carlos comprendió el plan perfectamente. Para llegar al futuro, Tito y su padre tendrían que[2] entrar en el Triángulo y pasar por el láser. Si no, se quedarían en el pasado por tiempo indefinido. Era una solución peligrosa. Si no se escapaban del láser, iban a quedarse en la Nave Madre por la eternidad. Carlos pensó en su predicamento y le dijo a Tito:

– Tito… si quieren llegar al futuro, tienen que entrar en el Triángulo y pasar por el láser.

Tito tuvo mucho miedo. No quería entrar en el Triángulo ni pasar por el láser. Exclamó:

– ¡¿Para llegar al futuro tenemos que pasar por el láser de nuevo?! ¿Y si no nos escapamos del láser…?

[2]tendrían que - (they) would have to

– Si pasamos por el punto del Triángulo… por el puntito… lo más rápido posible… podemos entrar y salir en aproximadamente dos o tres segundos. El láser no puede capturarnos tan rápidamente.

– Es buena idea, –le respondió Carlos muy impresionado–. Usted es muy inteligente.

«¿Inteligente?», pensó Pablo. *«No soy inteligente, soy idiota»*. Pablo pensó en el comentario de su esposa… *«Es un plan peligroso. La ruta es larga y el Triángulo es muy peligroso»*. Pablo quería llamarle a su esposa, quería hablarle, quería verla… *«¡Qué idiota soy!»* pensó Pablo.

Los tres navegantes siguieron conduciendo el Orinoco hacia las islas Bermudas. Podían ver la Nave Madre siguiéndolos desde el borde del Triángulo. Pasaron muchos días y ellos estaban completamente exhaustos. Combatieron un viento fuerte y olas grandes durante unos doce días. A los tres les preocupaba ser capturados por extraterrestres y por piratas. Después de doce tensos días, llegaron a las islas Bermudas.

– ¡Bermudas! –gritó Carlos con entusiasmo–. ¡Veo las islas Bermudas!

Carlos estaba muy contento, pero Tito y su padre
estaban muy preocupados. Carlos iba a quedarse
en las islas Bermudas y Tito y su padre iban a entrar
en el Triángulo para llegar al futuro.

– Vamos al puerto de San Jorge –confirmó
Pablo–. Carlos, usted se baja en la isla de
San Jorge y Tito y yo vamos a continuar al
punto del Triángulo.

Pablo conducía el barco hacia el puerto cuando
Carlos gritó:

– ¡Alerta! ¡Alerta! ¡Piratas!

En la distancia, los piratas de la Perla Blanca estaban observando el Orinoco. Estaban persiguiéndolo durante los doce días. Los piratas planeaban
capturar a los navegantes y robarles su barco.

– ¡Rápido! –gritó el capitán Henry Morgan.
¡Prepárense para atacar!

La Perla Blanca avanzó rápidamente por el agua
e iba en dirección al Orinoco. Los tres navegantes
la miraban con pánico.

— ¿Qué hacemos? –gritó Pablo.

— Sigue conduciendo entre las islas Bermudas –le respondió Carlos que tenía
mucha experiencia defendiéndose de los
piratas–. Hay muchas islas en las Bermudas. Vamos a pasar enfrente de San Jorge
y vamos a continuar a un grupo de islas
pequeñas. El Orinoco es un barco pequeño y puede pasar entre las islas. La
Perla Blanca, por el contrario, es muy
grande y no puede pasar entre ellas.

Pablo condujo el barco frente al puerto de San
Jorge. Los piratas los perseguían agresivos. La Perla

Blanca estaba muy cerca del Orinoco y los navegantes podían escuchar los gritos de los piratas: *«¡Preparen las armas! ¡Rápido! ¡Ataquen!»*. Entonces, hubo una explosión cerca del Orinoco. *«¡Bum, bam!»* Carlos le gritó a Pablo con pánico en la voz:

– ¡Ahora! ¡Vamos entre las islas! ¡Rápido!

Rápidamente, Pablo condujo el Orinoco hacia la costa y entre unas islas pequeñas. La Perla Blanca no pudo pasar entre las islas, pero los piratas continuaron atacando el Orinoco. *«¡Crac, crac! ¡Pum! ¡Bum, bam!»* Pablo condujo el barco lo más rápido posible. Condujo como un experto y pronto, el Orinoco desapareció entre las islas.

Capítulo 11
El escape

Cuando ya no vio evidencia de los piratas, Carlos le dijo a Pablo en un tono serio:

– Los piratas no van a abandonar su misión de capturarnos y robar el Orinoco. Tenemos poco tiempo. Tenemos que abandonar el Orinoco y bajarnos en una isla.

– ¿Abandonar el Orinoco? –le exclamó Tito con miedo–. ¿Cómo vamos a llegar al futuro si abandonamos el Orinoco?

– Pueden encontrar otro barco –le respondió Carlos.

Decidieron abandonar el Orinoco en una isla
montañosa. Lo abandonaron en la costa entre
mucha vegetación. Casi no podían verlo.

Se bajaron del Orinoco. Carlos empezó a correr
y Tito y su padre lo siguieron. Carlos, que era un
poco gordo, no corría muy rápido. Llegaron a la
base de una montaña y Carlos ya no pudo correr
más.

– Podremos[1] buscar a los piratas desde el
pico de la montaña. Tenemos que continuar hacia el pico.

Tito y su padre siguieron a Carlos, buscando evidencia de los piratas en el mar. De repente, Tito vio
movimiento en la vegetación y exclamó en voz
baja:

– ¡Hay movimiento en las plantas!

Pablo corrió hacia las plantas y de repente, un
hombre africano saltó de la vegetación y empezó
a correr. Parecía tener mucho miedo. Pablo le gritó:

– No corras. Necesitamos ayuda. Por favor.

[1]*podremos - we will be able*

– Por favor –gritó Tito con voz de preocupación.

Al escuchar la voz de Tito, el hombre tuvo compasión. Ya no corrió. Fue a investigar.

– ¿Qué pasa? ¿Qué necesitan? –les preguntó el hombre con un tono nervioso.

– Unos piratas están persiguiéndonos. Tenemos que escaparnos.

– ¡Piratas! ¡Ay, no! –exclamó el hombre con miedo– . Los piratas van a capturar a mi familia. Otra vez, vamos a ser esclavos[2], ¡esclavos de piratas!

– ¿Ustedes son esclavos que se escaparon? –le preguntó Carlos con total naturalidad.

– Sí. Nos escapamos de un hombre violento y cruel. Nos abusó mucho. Tenía que salvar a mi familia y por eso, nos escapamos a esta isla. Ya tenemos veintisiete días aquí.

Tito escuchó todo atentamente. «*¡Increíble!*», pensó. «*¿En 1600 había esclavos en las islas Bermudas también? ¡Qué horrible!*».

[2]*esclavos - slaves*

– ¿Dónde está tu familia? –le preguntó Carlos.

– Están en una cueva[3] secreta.

– ¿Una cueva secreta? –le preguntó Carlos con mucho interés.

– Sí, buscábamos protección de una tormenta y encontramos la cueva.

– Y nosotros estamos buscando protección de los piratas. ¡Vámonos! Vamos a la cueva –les dijo Carlos.

Cuando llegaron a la cueva, se encontraron con la esposa del hombre. Ella estaba con una niña. Las dos estaban llorando. La niña estaba muy enferma y su madre estaba muy preocupada.

– Necesitamos un doctor –lloró la madre–. Tenemos que salir. Tenemos que buscar ayuda.

– Querida, ¿Cómo podemos salir? –le respondió su esposo con voz triste–. Nosotros somos esclavos. Si salimos de la isla, nos van a capturar de nuevo. Nadie va a

---

[3]*cueva - cave*

ayudar a la niña. Van a abandonarla con su enfermedad.

Tito miró a la niña. Ella parecía tener seis o siete años. Pensó: *«¡Qué triste situación!»*. Entonces, con mucha emoción les dijo:

    – Ustedes pueden salir con nosotros. Podemos salir de la isla en nuestro barco. Podemos decir que ustedes son nuestros esclavos.

La madre de la niña enferma lloró más.

–Por favor. ¡Es urgente!

Todos decidieron que ayudar a la niña era una prioridad. Tenían mucho miedo, pero todos querían ayudar a la niña. Con la niña en los brazos, el hombre africano bajó de la montaña, siguiendo a Carlos.

De repente, unos piratas saltaron de la vegetación y agarraron a Carlos violentamente. Carlos gritó y todos reaccionaron con pánico. Todos corrieron para escaparse de los piratas. *«¡Corre, Tito! ¡Córrele!»*, gritó su padre. Tito se separó de su padre y corrió lo más rápido posible.

– ¡Captúrenlos! –gritó el Capitán Henry
  Morgan–. ¡Nadie se escapa de nosotros
  los piratas! –exclamó Henry riéndose
  cruelmente.

Los piratas los persiguieron agresivos. Agarraron
violentamente a la familia de esclavos. La madre
de la niña estaba llorando desconsolada. Pronto,
los piratas capturaron al padre de Tito también. Tito
tuvo mucho miedo y siguió corriendo. Quería salvar a los otros. ¡Quería escapar! Pronto, los piratas
lo encontraron y lo capturaron también. ¡Todos estaban capturados y no parecía existir una solución!

Capítulo 12
Un falso acuerdo[1]

Los piratas forzaron a los capturados hacia su barco. No era la Perla Blanca, era un barco pequeño. Carlos lo miró con admiración y exclamó:

– ¡Un balandro de Bermuda[2]! ¡Qué barco revolucionario!

– Sí, es un barco increíble –le respondió Henry Morgan arrogante–. Quiero una colección de barcos increíbles –le dijo riéndose con sarcasmo–. ¿Dónde está su barco?

– No voy a decirle –le respondió Carlos con indignación.

Henry agarró su espada[3] y la levantó agresivo. Le preguntó otra vez:

[1]acuerdo - agreement
[2]balandro de Bermuda - 'Bermuda sloop': a revolutionary 17th century ship made in Bermuda, designed to navigate quickly in deep or shallow waters.
[3]espada - sword

– ¿Dónde está su barco?

Carlos miró la espada e inmediatamente indicó donde estaba el barco. Entonces, dos piratas forzaron a Carlos hacia el Orinoco.

– ¡Esperen! gritó el hombre africano–. Quiero hacer un acuerdo.

– ¿Un acuerdo? –le dijo Henry riéndose cruelmente–. Esclavo, tú no tienes nada. ¿Cómo puedes hacer un acuerdo?

– Yo soy esclavo, pero yo soy rico. Tengo un tesoro enorme.

– ¿Tienes un tesoro? Ja, ja, ja.

Todos los piratas se rieron. No le creyeron al esclavo. Ni Carlos ni Pablo le creyeron tampoco. Pero con voz de convicción, el hombre africano les dijo:

– Sí, tengo un tesoro grande. Quiero hacer un acuerdo: mi tesoro por nuestra libertad.

– ¿Dónde está el tesoro? –le preguntó Henry Morgan con la espada en la mano.

– Cuando tengamos un acuerdo, yo les diré[4] dónde está.

[4]*cuando tengamos un acuerdo, yo les diré - when we have a deal, I will tell you*

– Está bien. Tenemos un acuerdo, pero si no hay un tesoro grande, los voy a asesinar a todos –le respondió Henry con violencia en los ojos.

Henry agarró al hombre y le ordenó:

– ¡Vamos!

Henry y tres de los piratas se fueron con el hombre mientras los otros piratas esperaban con el resto de los capturados. Esperaron quince minutos, pero a Tito le pareció una eternidad. ¡Tenía mucho, mucho miedo! Después de quince minutos, escucharon gritos de celebración de los piratas. De repente, el hombre africano apareció, corriendo hacia el grupo.

– ¡Corran! –les gritó el hombre.

– ¡Al barco! –gritó Carlos.

Los piratas salieron corriendo hacia la cueva y los capturados salieron corriendo hacia el Orinoco. Al llegar al Orinoco, Pablo gritó:

– ¡Aborden rápido!

Todos abordaron y rápido, Pablo condujo el barco entre las islas hacia el Océano Atlántico. Pablo ya no quería quedarse un minuto más en el pasado y les habló valientemente:

> – Carlos, Tito y yo tenemos que regresar al futuro. Vamos a seguir nuestro plan de entrar en el Triángulo. Si usted quiere quedarse en Las Bermudas, puede saltar al agua cerca de la costa. Puede saltar cuando entremos al océano. Señor –le dijo Pablo al hombre africano–, no tengo tiempo para explicarle nuestra increíble situación, pero tengo un plan. Creo que tengo una solución para su esclavitud, una solución que va a garantizarles su libertad. Es peligroso, pero creo que podemos ir al futuro, a un tiempo cuando la esclavitud no existe.

Ni Carlos ni la familia tenían tiempo para responder. De repente, escucharon *«¡Bam, bum! ¡Pum, pum, pum!»*. Otra vez, los piratas perseguían el Orinoco. ¡Lo atacaron muy agresivos!

> – ¡Piratas deshonestos! ¡Teníamos un acuerdo! –gritó Carlos furioso–. ¡No son honorables!

Los piratas se rieron y le respondieron:

– ¡Los piratas son inteligentes y talentosos, no son honestos ni honorables! Ja, ja, ja.

Pablo condujo lo más rápido posible hacia el punto del Triángulo. Los piratas estaban muy cerca persiguiéndolos con una furia violenta. La Nave Madre flotaba en el aire observándolo todo.

Cuando el Orinoco llegó al punto del Triángulo, el láser salió de la Nave Madre. El Orinoco pasó debajo del láser y los piratas estaban muy, muy cerca. El Orinoco tembló, pero el láser no pudo levantarlo porque el barco salió del Triángulo rápidamente. El Orinoco salió del Triángulo, pero el barco de los piratas no. Los piratas habían entrado[5] en el Triángulo por otro ángulo, no entraron en el

---

[5]*habían entrado - they had entered*

punto. Había más distancia para navegar y por eso, no pudieron salir del Triángulo tan rápidamente. No pudieron escapar del láser.

Poco a poco, el láser levantó el barco de los piratas fuera del agua y su barco desapareció dentro de la Nave Madre.

> – ¡Uaoooo! –gritó Carlos celebrando su escape.
>
> – ¡Papá, tu eres un navegante increíble! –gritó Tito.

La familia de esclavos observó todo con mucha confusión. No comprendían la situación. No comprendían por qué Tito y Carlos celebraban. Ellos celebraban, gritando y saltando, pero Pablo no celebraba. Pablo miró a todos y les dijo con voz nerviosa:

> – Sí, escapamos de los piratas y de los extraterrestres, ¿pero llegamos al futuro?

En ese momento, un crucero grande pasó frente al Orinoco y todos escucharon una voz en la radio: *«Mamá al Orinoco, Mamá al Orinoco».* Al ver el crucero y escuchar la voz de su esposa, Pablo empezó a celebrar. Miró a Carlos y a la familia africana y les dijo:

> – Vivir en el futuro no es perfecto, pero no hay esclavitud, ni hay piratas de Henry Morgan.

Carlos miró al hombre africano y le dijo:

> – Gracias. Gracias por abandonar su tesoro para salvarnos. Gracias por nuestra libertad.
>
> – ¡Ay! ¡No abandoné mi tesoro! Mi tesoro está aquí en el barco. Mi tesoro es mi familia. Mi tesoro es la libertad.

Glosario

A

a - to, at

a bordo - on board

abandonamos - we abandoned

abandonar - to abandon

abandonarla - to abandon her

abandonaron - they abandoned

abandoné - I abandoned

abordar - to board

abordaron - they boarded

aborde - aboard

aborden - they board

abordó - s/he boarded

abusó - s/he abused

accidentes - accidents

accidentes automovilísticos - automobile accidents

acciones - actions

aceptar - to accept

aceptó - s/he accepted

actuar - to act

acuerdo - agreement

adiós - goodbye

admiración - admiration

admitió - s/he admitted

admitir - to admit

admitirlo - to admit it

aéreo - aero

aeropuerto - airport

afectó - s/he affected

africano(a) - African

agarrar - to grab

agarraron - they grabbed

agarró - s/he grabbed; you grabbed

agresivo(s) - aggressive

agua - water

ahora - now

aire - air

(que) ajuste - (that) s/he, you adjust

ajustó - s/he adjusted

al - to the

alerta - alert

amigos - friends

ángulo - angle

año(s) - year(s)

antes - before

apareció - s/he, it, you appeared

aproximadamente - approximately

aquí - here

área - area

argumentar - to argue

armas - weapons

arrogante - arrogant

asesinar - to assassinate; to murder

así - this way

asombrado(s) - surprised

ataca - s/he attacks

atacando - attacking

atacándonos - attacking us

atacar - to attack

atacaron - they attacked

atacó - s/he attacked

ataque - attack

atención - attention

atentamente - attentively

atentos - attentive

aterrorizados - terrified

atlántico - Atlantic

atracción - attraction

atrapados - trapped

autoridad - authority

avanzado - advanced

avanzó - s/he advanced

aventura - adventure

avión(es) - airplanes

ayuda - help

ayudar - to help

ayudarme - to help me

ayúdenme - help me

B

baja - short

bajando - going down

bajar - to go down

bajarnos - to go down (ourselves)

bajaron - they went down

bajó - s/he went down

balandro de Bermuda - Bermuda sloop; a 17th century ship made in Bermuda

baño - bathroom

barco(s) - ship(s)

base - base

bien - fine; well

bienvenidos - welcome

binoculares - binoculars

blanco(a) - white

bloqueaba - s/he, I, you, it blocked; was blocking

boda - wedding

borde - edge

brazo(s) - arms

brillante - brilliant

bueno(a)(s) - good

burbuja - bubble

buscaba - s/he, I was looking for; you were looking for

buscábamos - we were looking for

buscaban - they were looking for

buscando - looking for

buscar - to look for

buscaron - they looked for

buscó - s/he, you looked for

C

cabeza - head

cable - cable

calculando - calculating

calma - calm

calmaba - s/he, it, I was calming; you were calming

calmadamente - calmly

calmado(a) - calmed

calmarlos - to calm them

calmaron - they calmed (down)

cálmense - calm down

(se) calmó - s/he, it calmed

campeón - champion

canción - song

cañón(es) - cannon(s)

cansado - tired

caos - chaos

capitán(es) - captain(s)

capturado(s) - captured

capturar - to capture

capturarnos - to capture us

capturaron - they captured

captúrenlos - capture them

capturó - s/he captured

Caribe - Caribbean

casarse - to get married

casi - almost

caso - case

causan - they cause

causaron - they caused

celebraba - s/he, I celebrated, was celebrating; you celebrated, were celebrating

celebraban - they celebrated; were celebrating

celebración - celebration

celebrando - celebrating

celebrar - to celebrate

celebraron - they celebrated

celulares - cellular

centro - center

cerca - close; near

chico - boy

cien - one hundred

cientos - hundreds

cinco - five

cínicamente - cynically

círculo - circle

ciudad - city

civilización - civilization

clara - clear

cocina - kitchen

colección - collection

color(es) - color(s)

combatían - they combated, fought; they were combating, fighting

combatiendo - combating

combatieron - they combated, fought

comentario - comment

comentó - s/he commented; you commented

comer - to eat

comía - s/he, I was eating; you were eating

comió - s/he, you ate

cómo - how

como - like; as; since

comparó - s/he compared; you compared

compás - compass

compasión - compassion

completamente - completely

completo(a) - complete

comprenden - they comprehend, understand

comprender - to comprehend, to understand

comprendía - s/he, I, you comprehended, understood

comprendían - they comprehended, understood

comprendió - s/he comprehended, understood

comprendo - I understand

comunicaba - s/he, I was communicating; you were communicating

comunicación - communication

comunicarme - to communicate (with me)

comunicaron - they communicated

comunicarse - to communicate (with each other)

comunicarte - to communicate (with you)

con - with

concentraba - s/he, I was concentrating; you were concentrating

concentración - concentration

concentrándose - concentrating

concentrarse - to concentrate

conduce - s/he drives

conducía - s/he, I was driving; you were driving

conduciendo - driving

conducir - to drive

condujeron - they drove

condujo - s/he, you drove

(que) conduzca - (that) s/he, I, you drive

conectada - connected

confianza - confidence

confirmó - s/he confirmed

confundido(s) - confused

confusión - confusion

conmoción - commotion

constantemente - constantly

construyeron - they constructed; they built

contacto - contact

contento(s) - content

continuaba - s/he, I, it was continuing; you were continuing

continuar - to continue

continuaron - they continued

continuó - s/he continued

(al) contrario - (on the) contrary

control - control

controlaba - s/he, I, it was controlling; you were controlling

controladores - controllers

controlar - to control

controlarlo - to control it

convencerla - to convince her

conversación - conversation

convertirse - to become; to convert (change) into

convicción - conviction

convirtió - s/he converted; changed into

(que) corran - (that) they run

(que) corras - (that) you run

corre - s/he runs; you run

córrele - run from him

correr - to run

corría - s/he, I was running; you were running

corrían - they were running

corriendo - running

corriente(s) - current(s)

corrieron - they ran

corrió - s/he, you ran

costa - coast

cree - s/he thinks, believes; you think, believe

creer - to think; to believe

creerlo - to believe it

crees - you think; you believe

creo - I think; I believe

(que) creyeran - (that) they believe

creyeron - they believed

creyó - s/he, you believed

crítica - critical

crucero(s) - cruise ship(s)

cruel(es) - cruel

cruelmente - cruelly

cuál - which; what

cuando - when

cuándo - when

cuarenta - forty

cuatro - four

cueva - cave

curiosidad - curiosity

D

(hacernos) daño - (to do us) harm; (to do us) damage

de - from; of; about

debajo - under

decidieron - they decided

decir - to say; to tell

decirle - to tell him/her

decirles - to tell them

dedicación - dedication

defenderte - to defend (yourself)

defendiéndose - defending (oneself)

del - from the; of the

demostrárselo - to show; display; demonstrate it to him/her

dentro - inside

depositar - to deposit

depositó - s/he deposited

desaparecido - disappeared

desaparecieron - they disappeared

desapareció - s/he disappeared

desaparición(es) - disappearance(s)

desastre - disaster

descansar - to rest

descansó - s/he, you rested

desconectó - s/he disconnected

desconsolada - inconsolable; heartsick

descontroladamente - uncontrollably

descripciones - descriptions

desde - since

deshonestos - dishonest

(se) despertaron - they woke up

Los piratas del Caribe y el Triángulo de las Bermudas

(se) despertó - s/he, you woke up

despiértense - wake up

despierto(s) - awake

después - after

determinación - determination

día(s) - day(s)

dice - s/he says; you say

diciembre - December

diez - ten

diferente - different

difícil - difficult

dificultad - difficulty

digo - I say

dijo - s/he, you said

Dios - God

(vayan con) Dios - Go with God; God bless you

diré - I will say; I will tell

dirección - direction

disco - disk

distancia(s) - distance(s)

doble - double

doce - twelve

doctor - doctor

donde - where

dónde - where

dormían - they were sleeping; they slept

dormir - to sleep

dormirse - to fall asleep

dormitorio(s) - bedroom(s)

dos - two

durante - during

durmiendo - sleeping

durmieron - they slept

durmió - s/he, you slept

E

e - and

él - he

el - the

ella - she

ellos(as) - they

emoción - emotion

emocionado - excited

empezaron - they started; began

empezó - s/he, it, you started; began

en - in

encontramos - we encountered; found

encontrar - to encounter

encontrarlo - to encounter; find it

encontrarnos - to encounter; find us

encontraron - they encountered; found

encontrarse - to encounter; find (oneself)

encontré - I encountered; found

encontremos - we encounter; find

encuentran - they find

(que) encuentren - (that) they find

enferma - sick

enfermedad - illness

enfrente - in front

enorme(s) - enormous

entonces - then

entrado - entered

entramos - we enter

entrar - to enter

entraron - they entered

entre - between; among

(que) entremos - (that) we enter

entró - s/he entered

entusiasmado - excited

entusiasmo - enthusiasm

era - s/he, it, I was; you were; era

eran - they were

eras - you were

eres - you are

es - s/he, it is

escapa - s/he escapes; you escape

escapaban - they escaped

(había) escapado - (s/he, I, you had) escaped

escapamos - we escape

escapándome - escaping

escapar - to escape

escaparme - to escape (myself)

escaparnos - to escape (ourselves)

escaparon - they escaped

escaparse - to escape (oneself)

escape - escape

escapé - I escaped

escapó - s/he escaped; you escaped

esclavitud - slavery

esclavo(s) - slave(s)

escuchaba - s/he, I was listening to; you were listening to

escuchaban - they were listening to

escuchan - they listen to

escuchando - listening to

escuchar - to listen to

escucharlo - to listen to it

escucharon - they listened to

escuché - I listened to

escuchó - s/he listened to

ese, eso(a) - that

espada - sword

español(es) - Spanish; Spaniards

especial - special

especulaciones - speculations

esperaba - s/he, I was waiting for; you were waiting for

esperaban - they were waiting for

esperando - waiting for

esperándolos - waiting for them

esperándonos - waiting for us

esperar - to wait for

esperaron - they waited for

esperé - I waited for

esperen - wait

espíritu - spirit

esposo(a) - spouse; husband (wife)

está - s/he, it is; you are

estaba - s/he, I was; you were

estaban - they were

(he) estado - (I have) been

estamos - we are

están - they are

estar - to be

estará - s/he, you will be

estás - you are

este - east

(que) estemos - (that) we be

esto(a)(s) - this (these)

estoy - I am

estrés - stress

estudiaba - s/he, I was studying; you were studying

estudiaban - they were studying

estudiar - to study

estudió - s/he studied; you studied

(que) estuvieran - (that) they were

estuvo - s/he, it was; you were

eternamente - eternally

eternidad - eternity

evaluar - to evaluate

evidencia - evidence

evidente - evident

evidentemente - evidently

exactamente - exactly

exagerada(s) - exaggerated

excelente - excellent

exclamó - s/he exclaimed

exhausto(s) - exhausted

existe - s/he exists

existencia - existence

existir - to exist

experiencia - experience

experto(s) - expert(s)

explicación - explanation

explicando - explaining

explicándole - explaining to him/her

explicar - to explain

explicarle - to explain to him/her

explicarles - to explain to them

explicó - s/he explained

explorador - explorer

explosión - explosion

explotó - s/he, it exploded

extraordinario(a) - extraordinary

extraterrestre(s) - extraterrestrials; aliens

F

falso - false

familia - family

familiar - familiar

famoso(a) - famous

fantástica - fantastic

(por) favor - please

fenómeno - phenomenon

figurando - figuring

(por) fin - finally

final - final; end

firmemente - firmly

flota - s/he, it floats

flotaba - s/he, I, it was floating; you were floating

flotando - floating

flotar - to float

forma - s/he, it forms

formando - forming

formas - forms; shapes

forzaba - s/he, it, I was forcing; you were forcing

forzando - forcing

forzar - to force

forzarme - to force me

forzaron - they forced

frente - front; forehead

fue - s/he, it was; you were; s/he went; you went

(que) fuera - that s/he, you go

fueron - they went

fuertes - strong

fuimos - we went

funciona - s/he, it functions

funcionaba - s/he, I, it was functioning; you were functioning

furia - fury

furioso - furious

futuro - future

G

galáctica - galactic

garantizarles - to guarantee them

general - general

gente - people

geométricas - geometric

golfo - gulf

gordo - fat

gracias - thank you

gramo - gram

gran - great

grande(s) - big

grave - grave; serious

gris - gray

gritaba - s/he, I was yelling; you were yelling

gritaban - they were yelling

gritando - yelling

gritaron - they yelled

gritó - s/he, you yelled

grito(s) - shout(s)

grupo - group

Guardia Costera - Coast Guard

H

ha (estado) - s/he has (been); you have (been)

había (escapado) - s/he, I, you had (escaped)

había (inventado) - s/he, I, you had (invented)

había (visto) - s/he, I, you had (seen)

había - there was/there were

habían (entrado) - they had (entered)

hablaba - s/he, I was talking; you were talking

hablaban - they were talking

hablando - talking

hablar - to talk

hablarle - to talk to him

hablarles - to talk to them

hablaron - they talked

habló - s/he, you spoke

hacemos - we make; we do

hacer - to make; to do

hacerle - to make him/her

hacerles - to make them

hacernos - to make us

hacia - toward

haciéndole - making him/her

han (desaparecido) - they have (disappeared)

hay - there is; there are

he (estado) - I have (been)

hemos (estado) - we have (been)

hermana - sister

histéricamente - hysterically

histérico(a) - hysterical

historia - history; story

historias - stories

101

hola - hello

hombre(s) - man (men)

honestos - honest

honorables - honorable

hora(s) - hour(s)

horizonte - horizon

horrible - horrible

horrífica - horrific

horror - horror

hubo - there was; there were

humano(s) - human(s)

huracán - hurricane

I

iba - s/he, I was going; you were going

iban - they were going

idea - idea

identificado - identified

idioma - language

idiota - idiot

iguales - equal

ilusiva - illusive

imaginaba - s/he, I was imagining; you were imagining

imaginación - imagination

imaginando - imagining

imagino - I imagine

impaciente - impatient

importante - important

impresionado - impressed

incrédulo - incredulous

increíble - incredible

indefinido - indefinite

indicada - indicated

indicó - s/he indicated

indignación - indignation

información - information

ingenioso - ingenious

inglés - English

inmediatamente - immediately

inspeccionaba - s/he, I was inspecting; you were inspecting

inspeccionar - to inspect

inspeccionó - s/he inspected

instante - instant

inteligencia - intelligence

inteligente(s) - intelligent

inteligentemente - intelligently; cleverly

intenciones - intentions

intenso - intense

interés - interest

interesaban - they interested

interesante(s) - interesting

interior - interior

interrumpió - s/he interrupted

inusual - unusual

inventado - invented

investigar - to investigate

investigó - s/he investigated

invitación - invitation

invitaron - they invited

invitó - s/he invited

ir - to go

irritado - irritated

isla(s) - island(s)

J

ja ja ja - ha ha ha

junio - June

K

kilómetros - kilometers

L

la(s) - the

largo(a)(s) - long

láser - laser

le - to/for him/her

le gusta - s/he likes it; it is pleasing to him/her

le(s) gustó - s/he (they) liked it; it was pleasing to him/her (them)

le/me/te gustan - s/he, I, you like them; they are pleasing to him/her/me/you

le/me/te gustaba - s/he, I, you liked it; it was pleasing to him/her/me/you

legión - legion

les - to/for them

levantado - lifted; raised

levantarlo - to lift it; to raise it

levantaron - they lifted; raised

levantó - s/he, it, you lifted; raised

leyenda(s) - legend(s)

libertad - freedom

liberada - freed

libro - book

líder - leader

llámame - call me

llamando - calling

llamar - to call

llamarle - to call him/her

llamó - s/he, you called

llegada - arrival

llegamos - we arrive; we arrived

llegar - to arrive

llegaremos - we will arrive

llegaron - they arrived

llegó - s/he arrived

(que) llegue - (that) s/he, you, I arrive

(que) lleguemos - (that) we arrive

llorando - crying

llorar - to cry

lloró - s/he, you cried

lo - it

lógico(a) - logical

los - them; the

luego - then

luna - moon

luz - light

M

madre - mother

majestad - majesty

mamá - mom

mañana - tomorrow

mano(s) - hand(s)

mapa(s) - map(s)

máquina - machine

mar - sea

más - more

mayo - May

me - to, for me

me llamo - I call myself; my name is

medio - half

mercado - market

mi - my

(tenía) miedo - (s/he, you, I had) fear; (was afraid)

104

mientras - while

mil - one thousand

militar(es) - military

millón - million

mínima - minimum

minuto(s) - minutes

mío - mine

mira - s/he looks at; you look at

miraba - s/he, I was looking at; you were looking at

miraban - they were looking at

mirando - looking at

mirándolos - looking at them

mirar - to look at

miraron - they looked at

(que) miren - (that) they look at

miró - s/he, you looked at

misión - mission

misterio - mystery

misterioso(a) - mysterious

moderna - modern

momento - moment

montaña - mountain

montañosa - mountainous

moverse - to move (oneself)

movía - s/he, it, I was moving; you were moving

movimiento - movement

movió - s/he, it moved

mucho - much, a lot

muchos(as) - much, many

(está) muerto - (s/he, it is) dead

mundial - world

mundo - world

muy - very

N

nada - nothing

nadie - no one

natural - natural

naturalidad - naturalness

nave espacial - space ship

navega - s/he navigates; sails

navegaba - s/he, I was sailing; you were sailing

navegaban - they were sailing

navegación - navigation; sailing

navegamos - we navigate; sail

navegando - navigating; sailing

navegante(s) - navigator(s)

navegar - to navigate; sail

navegaron - they navigated; sailed

navegó - s/he navigated; sailed

necesario - necessary

necesita - s/he needs

necesitaba - s/he, I needed; you needed

necesitaban - they needed

necesitamos - we need

necesitan - they need

necesitarías - you would need

necesitas - you need

negro(a) - black

nerviosamente - nervously

nerviosismo - nervousness

nervioso(a) - nervous

ni - neither; nor

niña - girl

ninguno - none; not any

no - no

noche - night

noreste - northeast

normal(es) - normal

normalmente - normally

norte - north

nos - to/for us

nos llamamos - we call ourselves; our name is

nosotros - we

nota - note; s/he noticed

notaron - they noticed; they noted

notó - s/he noticed; s/he noted

nuestro(a)(s) - our

nuevo - new

(de) nuevo - again

numerosos - numerous

nunca - never

O

o - or

objeto - object

observando - observing

observándolo - observing it

observaron - they observed

observó - s/he observed

obvio - obvious

océano - ocean

ocupados - busy; occupied

ocurre - s/he, it occurs

ocurrido - occurred

ocurrió - s/he, it occurred

oeste - west

oficial(es) - official(s)

oír - to hear

ojo(s) - eye(s)

ola(s) - wave(s)

opción - option

oportunidad - opportunity

órdenes - orders

ordenó - s/he ordered

organizar - to organize

otra vez - again

otro(a) - another

otros(as) - others

ovni(s) - UFO(s)

oye - s/he hears

P

padre - father

padres - parents

pánico - panic

papá - dad

para - for; in order to

paralizado - paralyzed

parece - s/he seems; you seem

parecen - they seem; appear

parecer - to seem; to appear

parecía - s/he, I, you seemed; appeared

parecían - they seemed; appeared

pareció - s/he, you seemed; appeared

parte(s) - part(s)

participaba - s/he, I was participating; you were participating

pasa - s/he, it passes; it happens; it occurs

pasábamos - we were passing

pasado - passed; past

pasamos - we pass; we passed

pasando - passing

pasar - to pass; to spend

pasaron - they passed

paseando - passing

páseme - pass me

pasó - s/he passed; it occurred

pecho - chest

peligro - danger

peligroso(a) - dangerous

pensaba - s/he, I was thinking; you were thinking

pensando - thinking

pensé - I thought

pensó - s/he, you thought

pequeñito - very small

pequeño(a)(s) - small

perceptivo - perceptive

perdido(s) - lost

perdieron - they lost

perdió - s/he, you lost

perdón - pardon

perfectamente - perfectly

perfecto - perfect

permítele - permit him/her

permitieron - they permitted

pero - but

perseguían - they were following; pursuing

persiguiéndolo - following him/it; pursuing him/it

persiguiéndolos - following them; pursuing them

persiguiéndonos - following us; pursuing us

persiguieron - they followed; pursued

persona(s) - person (people)

personalidad - personality

pico - peak

piloto(s) - pilot(s)

pirámides - pyramids

pirata(s) - pirates

pistola(s) - pistol(s)

plan - plan

planeaban - they were planning

plantas - plants

(un) poco - (a) little

podemos - we can

podía - s/he, I, you could

podían - they could

podremos - we would be able to; could

podría - s/he, I, you would be able; could

podrían - they would be able; could

popular - popular

por - through; by; for

por favor - please

por qué - why

porque - because

posible - possible

práctica - practice; practical

predicamento - predicament

prefiero - I prefer

pregunta(s) - question(s)

preguntarte - to ask you

preguntó - s/he, you asked

preocupaba - s/he, I was worried; you were worried

preocupación - preoccupation; worry

preocupado(a) - worried

preocupados(as) - worried

preocupándose - worrying

(que) preocupara - (that) s/he, I, you worry

preocuparon - they worried

(no te) preocupes - (don't you) worry

preparaban - they were preparing

preparado - prepared

preparando - preparing

preparándose - preparing (oneself)

preparar - to prepare

preparen - they prepare

prepárense - prepare yourselves

preparó - s/he prepared

presidente - president

príncipe - prince

prioridad - priority

prisionero - prisoner

privilegio - privilege

proa - bow (of a boat)

problema(s) - problem(s)

profesor - professor; teacher

progresando - progressing

pronosticaban - they forecasted

pronostican - they forecast

pronóstico (del tiempo) - (weather) forecast

pronto - right away

protección - protection

pudieron - they could

pudo - s/he, you could

puede - s/he, you can

pueden - they can

puedes - you can

puedo - I can

puerto - port

pues - well

pum - boom, bang

puntito - small point

punto - point

Q

que - that

qué - what

(se) queda - s/he stays, remains; you stay, remain

(se) quedaba - s/he was staying; you were staying

quedarían - they would stay

quedarnos - to stay (ourselves)

quedarse - to stay; to remain

(me) quedé - I stayed

(se) quedó - s/he stayed; remained

queremos - we want

quería - s/he, I, you wanted

querían - they wanted

querida - dear

quien - who

quién - who

quiere - s/he wants; you want

quieren - they want

quieres - you want

quiero - I want

quince - fifteen

R

radio - radio

rampa - ramp

rápidamente - rapidly, quickly

rápido(a)/rápidos(as) - rapid, fast, quick

reaccionaron - they reacted

realidad - reality

realmente - really

recapturados - recaptured

regata(s) - regattas; (boat race(s)

regresamos - we return; we returned

regresamos - we return; we returned

regresar - to return

regreso - I return

regresó - s/he returned; you returned

reparando - repairing

reparó - s/he repaired; you repaired

(de) repente - suddenly

repitieron - they repeated

repitió - s/he repeated; you repeated

respeto - respect

respetuoso - respectful

responder - to respond

respondes - you respond

respondías - you responded; you were responding

respondiéndolas - responding to them

respondieron - they responded

respondió - s/he responded; you responded

respuesta - answer

resto - rest

resultado - result

revelaciones - revelations

revelar - to reveal

(que) revelara - (that) s/he, I, you reveal

revolucionario - revolutionary

rico - rich

(se) ríe - s/he laughs; you laugh

riéndose - laughing

rieron - they laughed

río - river

(se) rio - s/he laughed; you laughed

robar - to rob; to steal

robarles - to rob them

robot - robot

robótica - robotic

rocas - rocks

roja - red

ruta - route

S

sale - s/he, it leaves; you leave

salen - they leave

salí - I left

salieron - they left

salimos - we leave; we left

salió - s/he, you, it left

salir - to leave

saltaba - s/he, I, it was jumping; you were jumping

saltaban - they were jumping

saltando - jumping

saltar - to jump

saltaron - they jumped

saltó - s/he, you, it jumped

salto de tiempo - time warp

saludo - greeting; salutation

salvar - to save

salvarnos - to save us

sándwich - sandwich

sarcasmo - sarcasm

sarcástico - sarcastic

sé - I know

se levantaron - they got up

se levantó - s/he, you got up

se llama - s/he calls him/herself; his/her name is

se llama - s/he calls him/herself; his/her name is

se llamaba - s/he called him/herself; his/her name was

se llaman - they call themselves; their names are

secreto(a) - secret

seguía - s/he, I was following, continuing; you were following, continuing

seguíamos - we were following

seguir - to follow; to continue

seguirla - to follow her, it

segundos - seconds

seis - six

seiscientos - six hundred

semana(s) - week(s)

señor - sir; Mr.

sentarse - to sit down

separó - s/he separated

ser - to be

serenidad - serenity

sería - s/he, I, you, it would be

seriedad - seriousness

serio - serious

si - if

sí - yes

siempre - always

siete - seven

sigue - s/he follows; continues; you follow; continue

siguiendo - following

siguiéndolos - following them

siguientes - following

siguieron - they followed; continued

siguió - s/he, you followed; continued

silencio - silence

silenciosamente - silently

simpático - nice

sincera - sincere

sirviente(s) - servants

situación - situation

sobre - about

sol - sun

solo - only; alone

solución - solution

somos - we are

son - they are

sonido - sound

sorprendido - surprised

soy - I am

su - his; her; your; their

submarina - submarine

suficientemente - sufficiently

súper - super

sur - south

sureste - southeast

suroeste - southwest

sus - his; her; their; your

suspendido - suspended

T

talentoso(s) - talented

también - too; also

tampoco - either; neither

tan - as, so

tantas - so many

tanto - so much

tarde - late

tecnología - technology

tecnológicamente - technologically

teléfonos - telephones

telescopio - telescope

televisión - television

temblaba - s/he, I was trembling; you were trembling

temblando - trembling

temblar - to tremble

tembló - s/he trembled; you trembled

tendrían - they would have

tenemos - we have

tener - to have

(que) tengamos - (that) we have

(que) tengas - (that) you have

tengo - I have

tenía - s/he, I, you had

tenía miedo - s/he, I was afraid; you were afraid

teníamos - we had

tenían - they had

tenso(a)(s) - tense

tentáculo - tentacle

terrible - terrible

terror - terror

tesoro - treasure

tiempo - time

(a) tiempo - (on) time

(pronóstico del) tiempo - weather (forecast)

tiene - s/he has; you have

tienen - they have

tienes - you have

todavía - still

todo(a)(s) - all; everyone

tono - tone

tormenta(s) - storm(s)

torturaron - they tortured

torturó - s/he tortured; you tortured

total - total

tráfico - traffic

tranquilamente - calmly; tranquilly

tranquilo - calm; tranquil

treinta - thirty

tres - three

trescientos - three hundred

triángulo - triangle

triste(s) - sad

tú - you

tu - your

tuvieron - they had

tuvo - s/he, you had

U

un(o)(a) - a; an; one

universidad - university

unos(as) - some

urgente - urgent

usa - s/he uses; you use

usando - using

usar - to use

usted - you (formal)

ustedes - you (pl.)

V

va - s/he goes; you go

valiente - valiant; brave

valientemente - valiantly; bravely

vámonos - let's go

vamos - we go

van - they go

varios - various

vas - you go

(que) vayan - (that) they go

ve - s/he, you see

vegetación - vegetation

veían - they saw; they were seeing

veintiséis - twenty-six

veintisiete - twenty-seven

vela(s) - sail(s)

velocidad - velocity; speed

ven - they see

venezolano - Venezuelan

veo - I see

ver - to see

verde - green

verla - to see it; her

verlo - to see it; him

verlos - to see them

ves - you see

(otra) vez - again

viaje - trip

vidas - lives

viento(s) - wind(s)

vieron - they saw

vio - s/he, you saw

violencia - violence

violentamente - violently

violento(a) - violent

violentos(as) - violent

visita - visits

visitar - to visit

(que) visite - (that) s/he, I, you visit

(había) visto - (s/he, I, you had) seen

vive - s/he lives; you live

viven - they live

vivía - s/he, I was living; you were living

vivir - to live

vivo - I live

volador - flying

volante - flying; steering wheel

voy - I go; I'm going

voz - voice

vuelo - flight

Y

y - and

ya - already

ya no - any more; no longer

yo - I

Z

zona - zone